RAMSÈS II

CÉSAR

1 • LOUIS XIV & Versailles
2 • FRANÇOIS 1er & les châteaux de la Loire
3 • NAPOLÉON & son temps
4 • LE MONT SAINT-MICHEL
5 • RAMSÈS II & son temps
6 • ALEXANDRE & l'Orient
7 • CÉSAR & Rome
8 • MICHEL-ANGE & son temps
9 • DE GAULLE et la France
10 • LUMIÈRE, s'il vous plaît !
11 • LUCY & son temps
12 • CORTÉS & le Mexique
13 • VICTORIA & son temps
14 • LES BEATLES & les années 60
15 • MARCO POLO & son temps
16 • PICASSO & la passion de peindre
17 • RICHARD CŒUR DE LION & les croisades
18 • GANDHI & son temps
19 • BEETHOVEN & son temps
20 • LE PREMIER HOMME & son temps
21 • JÉSUS & son temps
22 • CATHERINE II & son temps
23 • CHURCHILL & son temps
24 • PROPRE, vous avez dit propre ?
25 • BOUDDHA & le bouddhisme
26 • HENRI IV & son temps
27 • AVIGNON & le temps des papes
28 • JEANNE D'ARC & son temps

CORTÉS

VICTORIA

BEETHOVEN

LE PREMIER HOMME

HENRI IV

PICASSO

JEANNE D'ARC
& SON TEMPS

Conception :
Jean-Jacques Greif, Michel Coudeyre
Texte : Jean-Jacques Greif
Direction artistique : Michel Coudeyre

Collection créée par Dominique Gaussen et Patrick Henry
Dirigée par Dominique Gaussen
Iconographie : Istvan Varga

MANGO *DOCUMENT*

“Une image vaut mille mots.”

Xun Zi (313-238 av. J.-C.)

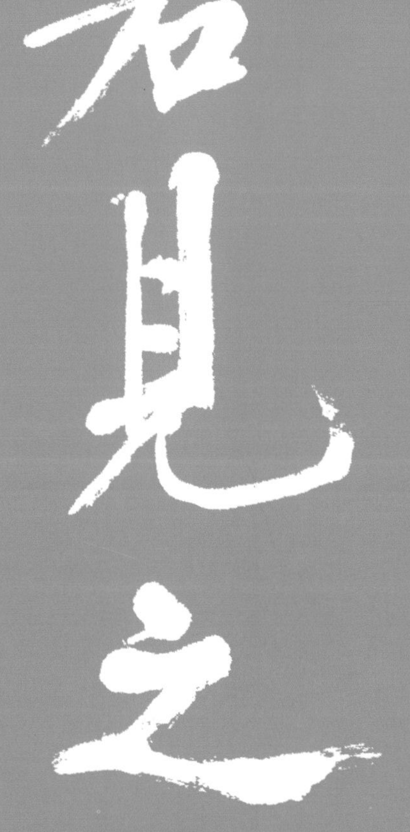

Sommaire

Cent ans de guerre ... 4-5

Échangeriez-vous votre grand arc contre deux arbalètes ordinaires ? ... 6-7

Scandale à la cour : la reine déshérite son fils ... 8-9

Le laboureur et ses enfants ... 10-11

Loin de la France ... 12-13

“Elle allait à la charrue, gardait les animaux aux champs, filait le chanvre et la laine et autres ouvrages de femme.” ... 14-15

Mieux que le Walkman : sans pile ni casque, le voxman de Jeanne d'Arc ! ... 16-17

Elle invente la mode garçonne ... 18-19

Le dauphin s'est caché. Sauriez-vous le retrouver ? ... 20-21

100 % pure pucelle vierge ... 22-23

L'arme médiatique ... 24-25

Le dossier du siège d'Orléans ... 26-27

SuperJeanne ... 28-29

La pâtée à Patay ... 30-31

Sacré Charlot ! ... 32-33

Les Parisiens : “Eh, la pucelle, retourne à tes moutons !” ... 34-35

Les récréations de la cour ... 36-37

Jeannette et les trois Jeanne ... 38-39

Monsieur C... VII, sans domicile fixe : “Je n'ai pas un sou. Où aurais-je pu trouver dix mille écus ?” ... 40-41

Dix trucs pour un procès truqué ... 42-43

Grand Quiz. Si vous trouvez les bonnes réponses, vous serez brûlé quand même ! ... 44-45

Ce cochon de Cauchon ... 46-47

Le pantalon qui tue ... 48-49

“Derechef tu es rechue, comme le chien qui a coutume de retourner à son vomir...” ... 50-51

Livrée à combustion ... 52-53

Si c'était un jeu informatique, on la “débrûlerait” en cliquant sur “Annuler” ... 54-55

Jeanne en dates ... 56-57

Jeanne comme vous voulez ... 58-59

Cette leçon valait bien un fromage, sans doute ... 60-61

Anti-Jeanne et pro-Jeanne ... 62-63

Bibliographie ... 64

Manche
Calais
Azincourt
Tournai
Duché de Luxembourg
Crécy
Rouen
Compiègne
Mont St Michel
Paris
Reims
Vaucouleurs
La France des Anglais
Domrémy
Patay
Orléans
Chinon
Loches
Luxeuil
Bourges
La Charité
Poitiers
Océan Atlantique
La France du Dauphin
Français
Anglais
Bourguignons
Mer Méditer

CENT ANS DE GUERRE

1328. Horreur : le roi de France n'a que des filles ! C'est une situation inédite, car depuis Hugues Capet, qui a fondé la dynastie des Capétiens en 987, les rois ont toujours eu des fils. Les barons du royaume décident qu'il n'est pas question de laisser une femme régner sur la France. Ils offrent la couronne au cousin du roi, Philippe de Valois, qui devient Philippe VI. Le jeune roi d'Angleterre, Édouard III, conteste ce choix : il descend d'un roi de France en ligne directe par sa mère, donc il se considère comme l'héritier légitime de la couronne.
Si les barons avaient été moins misogynes, la fille du roi serait devenue reine de France. On aurait évité cette querelle dynastique, et la guerre qu'elle a provoquée.
1329. Édouard III, roi d'Angleterre depuis deux ans, se déclare aussi roi de France et débarque en Flandre.
1346. Les Anglais écrasent les Français à Crécy, près d'Abbeville.
1356. Jean le Bon, fils de Philippe VI, est vaincu à son tour à Poitiers par Le Prince Noir, fils d'Édouard III. Le roi se bat courageusement. "Père, gardez-vous à droite ! Père, gardez-vous à gauche !" lui crie son plus jeune fils. Les Anglais capturent le père et le fils.
1360. Les Français, affaiblis par deux épidémies de peste, des jacqueries et le soulèvement des bourgeois de Paris conduits par Etienne Marcel (1358), cèdent une grande partie du pays aux Anglais par le traité de Brétigny.
1380. Mort du roi Charles V (né en 1338), qui a repris plusieurs provinces grâce à la vaillance du connétable Du Guesclin. Son fils, Charles VI (né en 1368), lui succède.
1392. Charles VI devient fou. Deux princes se disputent le pouvoir de fait : à ma droite, son oncle Philippe le Hardi, duc de Bourgogne ; à ma gauche, son frère Louis, duc d'Orléans.
1404. Philippe le Hardi meurt; Son fils Jean sans Peur devient duc de Bourgogne.
1407. Le duc de Bourgongne fait assassiner le duc d'Orléans. La guerre de Cent Ans tourne à la guerre civile : le nouveau duc d'Orléans s'allie avec le comte d'Armagnac et d'autres nobles pour se battre contre Jean sans Peur. C'est la guerre des Armagnacs contre les Bourguignons (à partir de 1410). On se bat dans Paris. Deux grandes institutions de la capitale sont bourguignonnes : l'Université et la corporation des bouchers, qui terrorise la ville en 1413.
1415. Le roi d'Angleterre, Henri V, profite de la division des Français pour les vaincre à Azincourt.
1419. Le Dauphin Charles, fils du roi fou, âgé de seize ans, rencontre Jean sans Peur sur un pont à Montereau. Le ton monte. Un capitaine de Jean sans Peur tire l'épée et menace le Dauphin. Des compagnons du Dauphin, comprenant que les Bourguignons l'ont attiré dans un guet-apens pour le tuer, réussissent à le sauver. Au cours de l'échauffourée, Jean sans Peur est tué d'un coup de hache. Les Bourguignons étaient déjà plus ou moins alliés avec Henri V. Le nouveau duc de Bourgogne, Philippe le Bon, doit venger son père. Il signe un premier accord avec les Anglais.
1420. Isabeau de Bavière, femme de Charles VI, signe avec les Anglais le traité de Troyes. Elle offre sa fille Catherine en mariage à Henri V et reconnaît celui-ci comme régent de France et successeur de Charles VI. Henri V fait une entrée solennelle à Paris et s'installe au Louvre.
1422. Mort de Charles VI et de Henri V. Le Dauphin Charles se proclame roi de France, mais selon le traité de Troyes, c'est Henri VI, fils de Henri V, qui hérite de la couronne de France. Le Dauphin Charles possède quelques provinces au sud de la Loire. Il tient sa cour à Chinon ou à Bourges. Les Anglais assiègent Orléans. S'il prennent la ville, où se trouve l'un des deux ponts qui permettent de franchir la Loire, ils envahiront sans mal les dernières provinces françaises.

ÉCHANGERIEZ-VOUS VOTRE GRAND ARC CONTRE DEUX ARBALÈTES ORDINAIRES ?

Les Anglais recherchent l'efficacité.
Avant d'attaquer la France, le roi Édouard III
instaure le service militaire obligatoire. L'Angleterre compte seulement
trois à quatre millions d'habitants, environ cinq fois moins
que la France, mais son infanterie bien entraînée et ses archers bien
équipés l'emportent facilement à Crécy et à Azincourt.
Les archers anglais utilisent un grand arc qui tire
dix flèches à la minute, alors que les arbalètes des Français
n'en tirent que deux. De plus, les seigneurs français, qui se croient encore à
l'âge d'or de la chevalerie et méprisent la "piétaille",
chargent n'importe comment, bousculant même leurs propres archers.
Le duc de Bourgogne, Charles le Téméraire, commettra
la même erreur cent trente ans plus tard :
il sera vaincu par les paysans suisses qu'il méprise.
En vérité, les batailles en rase campagne sont très rares.
La guerre consiste principalement à assiéger (ou à défendre)
des forteresses et des villes. Par ailleurs, des troupes plus
ou moins autonomes, capables de changer de camp, se livrent au pillage
et au brigandage, répandant la terreur dans le pays.

SCANDALE
À LA COUR :
LA REINE
DÉSHÉRITE
SON FILS

Isabeau de Bavière, épouse
du roi fou Charles VI, se sent plus
bavaroise que française.
C'est une femme futile et dangereuse.
Les politiciens les plus raisonnables
de l'entourage du roi,
c'est-à-dire du parti armagnac, ont
tenté de l'écarter du pouvoir.
Du coup, elle soutient les
Bourguignons et les Anglais. Elle
déshérite son propre fils,
le dauphin Charles, au profit de
son gendre Henri V, mari
de sa fille Catherine.
Il est vrai qu'elle connaît mal
le dauphin Charles : ce dernier
a été soustrait aux troubles
de Paris et élevé à Angers
par Yolande d'Aragon, mère de
Marie d'Anjou, la fiancée de Charles ;
il n'est devenu dauphin que
parce que ses deux frères aînés sont
morts mystérieusement.

LE LABOUREUR ET SES ENFANTS

Jeanne d'Arc est née vers 1412. Selon la légende, le 6 janvier 1412, jour de l'Épiphanie. Fille de Jacques Darc (ou Day, ou Daix) et d'Isabelle Romée, "laboureurs", c'est-à-dire propriétaires de leurs terres. On l'appelle Jeannette. Elle a trois frères aînés (Jacquemin, Jean et Pierre) et une sœur cadette (Catherine). Le village de Domrémy (aujourd'hui Domrémy-la-Pucelle) se trouve à une cinquantaine de kilomètres au sud-ouest de Nancy, entre les petites villes de Neufchâteau et de Vaucouleurs, au bord de la Meuse. C'est une région de prairies, de champs et de forêts.

On y cultive l'orge, le seigle, l'avoine, le blé, et aussi le lin et le chanvre. La vigne y pousse bien, comme partout en France. La maison de la famille Darc est grande. Elle possède de véritables cheminées et non de simples trous dans le toit. Le premier étage est un grenier dans lequel on met le fourrage et les fruits à sécher. Jeanne dormait peut-être sur un vrai lit, et non sur de la paille comme les paysans pauvres. Jacques Darc possède une vingtaine d'hectares de terres. Le village compte une centaine de maisons, rassemblées autour de l'église. Jacques Darc en est le "doyen", c'est-à-dire à peu près le maire-adjoint.

À l'époque de Jeanne d'Arc,
le village de Domrémy ne se trouve pas en France,
puisqu'il se situe au nord de la Loire.
Il appartient au duché de Bar, qui
hésite selon les années entre les partis armagnac
et bourguignon, et plus précisément
à une région dite le Barrois mouvant,
séparée du reste. La ville la plus proche, Neufchâteau,
est une possession du duc de Lorraine,
vassal de l'empereur d'Allemagne.
Un peu plus loin, la ville de Vaucouleurs
reste fidèle au roi de France (comme deux

LOIN DE LA FRANCE

autres places fortes situées au nord de la Loire :
le Mont-Saint-Michel et Tournai,
aujourd'hui en Belgique).
Les contemporains de Jeanne considèrent
qu'elle est lorraine, autrement dit
plus ou moins allemande.
D'ailleurs, elle parle français avec
l'accent lorrain. Cela signifie que Jeanne d'Arc,
héroïne de tous les nationalistes français
à partir du milieu du XIXe siècle, n'était pas française !
Elle disait : "Je veux aller en France",
ou bien : "Dans mon pays, on m'appelait Jeannette,
et en France Jeanne", etc.

Angleterre
France
Bourgogne
Lorraine
Barrois Mouvant
Domrémy

“ELLE ALLAIT À LA CHARRUE, GARDAIT LES ANIMAUX AUX CHAMPS, FILAIT LE CHANVRE ET LA LAINE ET AUTRES OUVRAGES DE FEMME.”

Par la faute de la guerre, qui rend les routes dangereuses et nuit au commerce, le XVe siècle connaît une économie d’autosuffisance plutôt qu’une économie marchande. La famille se nourrit elle-même (de pain de seigle, de volailles, de lard, de choux, de fèves, d’épinards, de poireaux, de laitues, etc.) ; elle possède des ruches et des vignes ; elle file et tisse ses vêtements de lin, de chanvre et de laine.

Jeanne travaille depuis sa petite enfance. Elle sait trouver du sable fin au bord de la Meuse pour fabriquer un sablier, écraser les noix pour produire de l’huile, cailler le lait pour obtenir du fromage, etc. Elle n’est pas bergère, comme le veut la légende : quand elle garde des vaches ou des moutons, ce sont les animaux de la commune, dont les villageois s’occupent à tour de rôle. Elle n’est jamais allée à l’école, ne sait ni lire ni écrire.

Voici la recette de la soupe aux orties à la Jeanne d’Arc : prenez deux grosses poignées de feuilles d’orties (seulement les feuilles du sommet) ; les faire suer dans un bon morceau de lard gras fondu ; mouiller de bouillon de poule en quantité suffisante ; ajouter deux poignées d’orge mondée. Faire cuire à petits bouillons pendant une heure.

MIEUX QUE LE WALKMAN : SANS PILE NI CASQUE, LE VOXMAN DE JEANNE D'ARC !

Ses amis d'enfance, Colin, Simonin, Hauriette, Mengette et Guillemette, se moquent de sa dévotion exagérée :

– Eh, la Jeannette, tu n'en as pas assez d'aller écouter la messe tous les jours ?

– Tu vas user tes rotules à te mettre à genoux chaque fois que sonnent les cloches de l'église !

– Mademoiselle entend sainte Marguerite, sainte Catherine et saint Michel. Pourquoi ne me parlent-ils pas, à moi ?

– Tu ne les entendras jamais, Simonin, parce que tu es trop glouton. Jeannette ne mange que du pain...

– Sauf le vendredi, où elle ne mange rien du tout.

– Ne bouge pas, Hauriette, je vais te donner un bon coup sur le crâne. Je parie que tu entendras saint Michel !

Voici un extrait du dialogue de Jeannette avec les juges de Rouen :

– La première voix qui vint à moi, alors que j'avais l'âge de treize ans ou environ, vint de saint Michel, que je vis de mes yeux. Il n'était pas seul, mais entouré des anges du ciel. Je les vis des yeux de mon corps aussi bien que je vous vois. Quand ils s'en allaient, je pleurais, j'aurais bien voulu qu'ils m'eussent emportée avec eux.

– Comment saviez-vous que c'était saint Michel ?

– Je le crus presque aussitôt et j'eus la volonté de le croire. Il me dit que sainte Catherine et sainte Marguerite viendraient à moi et que je suive leurs conseils... La voix me dit que je devais me rendre en France. Que je devais me rendre, moi Jeanne, auprès de Robert de Baudricourt, dans la ville de Vaucouleurs, dont il était capitaine, et qu'il me donnerait des gens pour m'accompagner. Je répondis que j'étais une pauvre fille, qui ne savait chevaucher ni mener guerre...

Note à l'intention des sceptiques :

Jeanne n'a pas choisi des saintes au hasard, une statue de sainte Marguerite se trouvait dans l'église de Domrémy et sainte Catherine était très populaire en Lorraine.

Si Jeanne vivait aujourd'hui, les choses se passeraient autrement :

– Docteur, je suis inquiète. Ma fille entend des voix.

– Comme Jeanne d'Arc ?

– Précisément. Elle croit même entendre des saints du paradis et des anges.

– Les anges, je les vois, maman, mais je ne les entends pas.

– Quel âge as-tu, mon enfant ?

– Treize ans, m'sieu.

– Qu'est-ce que je peux faire, Docteur ?

– Il faut espérer qu'elle traverse une phase... La puberté, vous comprenez. Les hormones... À titre de sécurité, nous allons faire un petit scanner, histoire de vérifier qu'il n'y a rien dans le cerveau. Si les voix persistent, je lui prescrirai des pilules à prendre matin et soir en période de crise, pour les faire taire.

Elle demande à son cousin,
Durand Laxart, de l'emmener à Vaucouleurs.
– Que veux-tu faire à Vaucouleurs ?
Acheter des rubans pour nouer tes cheveux ?
– Je veux demander au sire de Baudricourt qu'il me donne une troupe d'hommes d'armes.
– Des hommes d'armes ? Jeannette, que me dis-tu là ?
– Avec eux, j'irai en France et je chasserai les Anglais qui assiègent la bonne ville d'Orléans.
– Comment une fillette de seize ans pourrait-elle vaincre les Anglais ? Le sire de Baudricourt va rire de toi.
Le seigneur de Baudricourt rit. Il dit à Durand Laxart de ramener Jeanne chez son père et de lui donner des gifles. Au début de l'année suivante, elle revient à Vaucouleurs et se présente tous les jours à la porte du château. À la fin, le sire de Baudricourt la reçoit. Elle lui dit que le temps presse : – En nom Dieu, vous mettez trop de temps à m'envoyer. Aujourd'hui, le gentil Dauphin a eu près d'Orléans un bien grand dommage, et en aura-t-il encore un plus grand si vous ne m'envoyez pas bientôt vers lui. J'eusse préférer filer la laine auprès de ma mère, car ce n'est point mon état de porter les armes, mais il faut que j'aille. Mon Seigneur veut que j'agisse ainsi.
– Qui est donc ton seigneur ?
– C'est le roi du ciel, et nul autre.
– Quand veux-tu t'en aller ?
– Plutôt aujourd'hui que demain, et demain que plus tard.
Le sire de Baudricourt lui donne deux hommes d'armes, Bertrand de Poulengy et Jean de Metz, accompagnés de leurs écuyers, ainsi qu'un archer et un guide.

ELLE INVENTE LA MODE GARÇONNE

Jeanne doit être vêtue en homme pour chevaucher et guerroyer. Les habitants de Vaucouleurs lui offrent des habits d'homme pour remplacer sa robe rouge de paysanne, ainsi qu'un cheval. Elle coupe ses cheveux comme un garçon ("taillés en rond à la façon des pages") ; c'est plus commode quand on doit porter un casque. Robert de Baudricourt lui offre une épée. Elle porte une tunique descendant jusqu'aux genoux, sur un pourpoint ou justaucorps. Sa culotte est attachée au justaucorps par des lacets. Un chaperon recouvre son cou et ses oreilles. Des houseaux, sortes de guêtres hautes, protègent ses jambes. La culotte attachée au justaucorps par des lacets, ce n'était sans doute pas pratique pour aller aux cabinets – surtout pour une femme, qui ne pouvait pas se servir de la braguette...Plus tard, le roi lui fera fabriquer une armure sur mesure par un maître-armurier.

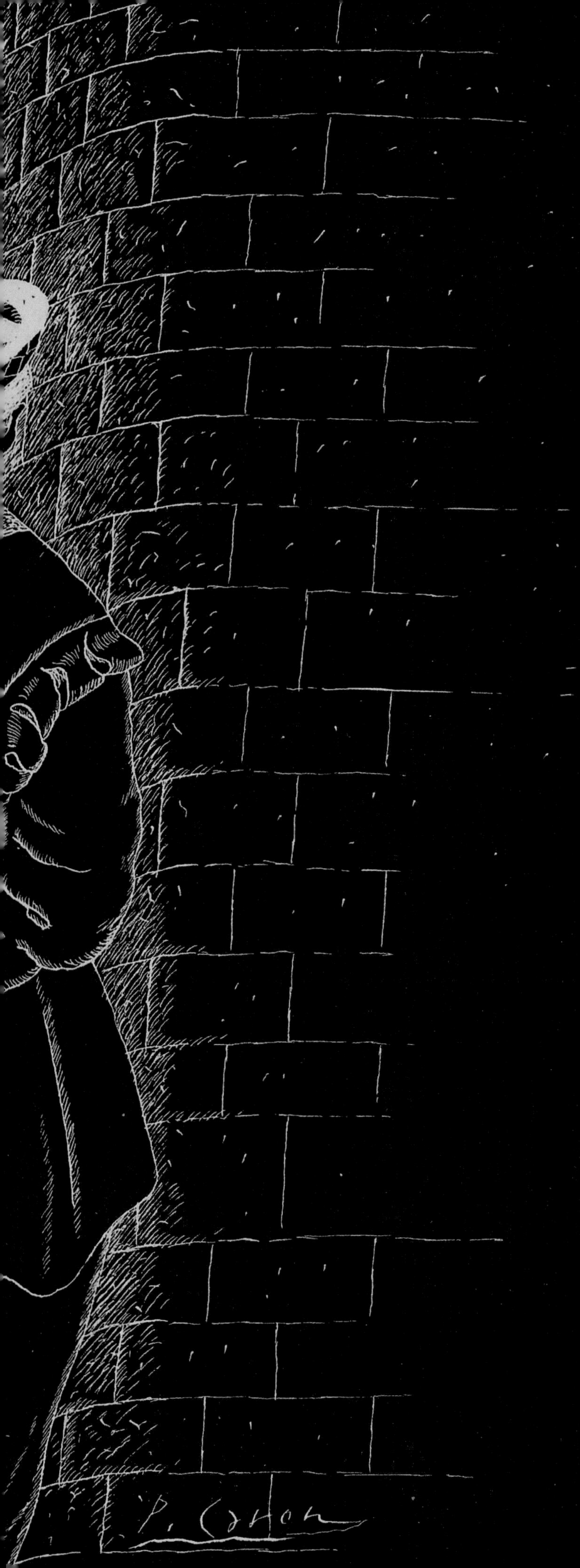

LE DAUPHIN S'EST CACHÉ. SAURIEZ-VOUS LE RETROUVER ?

Jeanne et ses compagnons mettent onze jours pour aller de Vaucouleurs à Chinon. Ils chevauchent de nuit, passent les rivières par des gués plutôt que sur les ponts, car les territoires qu'ils traversent appartiennent aux Bourguignons.
Une rumeur selon laquelle une pucelle vient lever le siège d'Orléans et couronner le Dauphin précède la petite troupe, si bien que les habitants de Chinon l'accueillent avec enthousiasme. Le Dauphin et ses conseillers se méfient : elle est peut-être folle, ou diabolique. Ils doivent tout de même éviter de mécontenter le peuple, donc ils envoient des émissaires pour interroger Jeanne dans son hôtellerie.
Elle se contente de leur dire que le roi du ciel l'envoie et qu'elle ne parlera qu'au Dauphin. Charles, très pieux lui-même, a beaucoup prié et attend en réponse un signe du ciel.
Est-ce Jeanne ? Il accepte de la recevoir, le 6 mars 1429 mais (selon la légende) il se cache derrière ses courtisans dans la grande salle du château de Chinon. Jeanne se dirige droit vers lui.
– Dieu vous donne bonne vie, gentil Dauphin.
– Ce ne suis-je pas le roi. Voilà le roi (il montre un seigneur).
– En nom Dieu, gentil prince, c'est vous qui l'êtes, et non un autre. Je suis venue avec mission, de par Dieu, de donner secours à vous et au royaume. Vous mande le roi des cieux, par moi, que vous serez sacré et couronné à Reims, et serez lieutenant du roi des cieux, qui est roi de France.
Le Dauphin et Jeanne s'entretiennent en privé dans l'embrasure d'une fenêtre. Le Dauphin en ressort rayonnant de joie. Selon la légende, Jeanne lui aurait révélé un secret qu'il était seul à connaître. Des historiens raisonnables pensent qu'elle lui a simplement déclaré : "Je te le dis de la part du roi des cieux, tu es vrai héritier de France et fils de roi."
Elle répond ainsi à une question qui tourmente le Dauphin. Isabeau de Bavière, pour mieux le déshériter, prétend qu'il n'est qu'un bâtard. Elle le rassure : il est bien le fils de Charles VI.

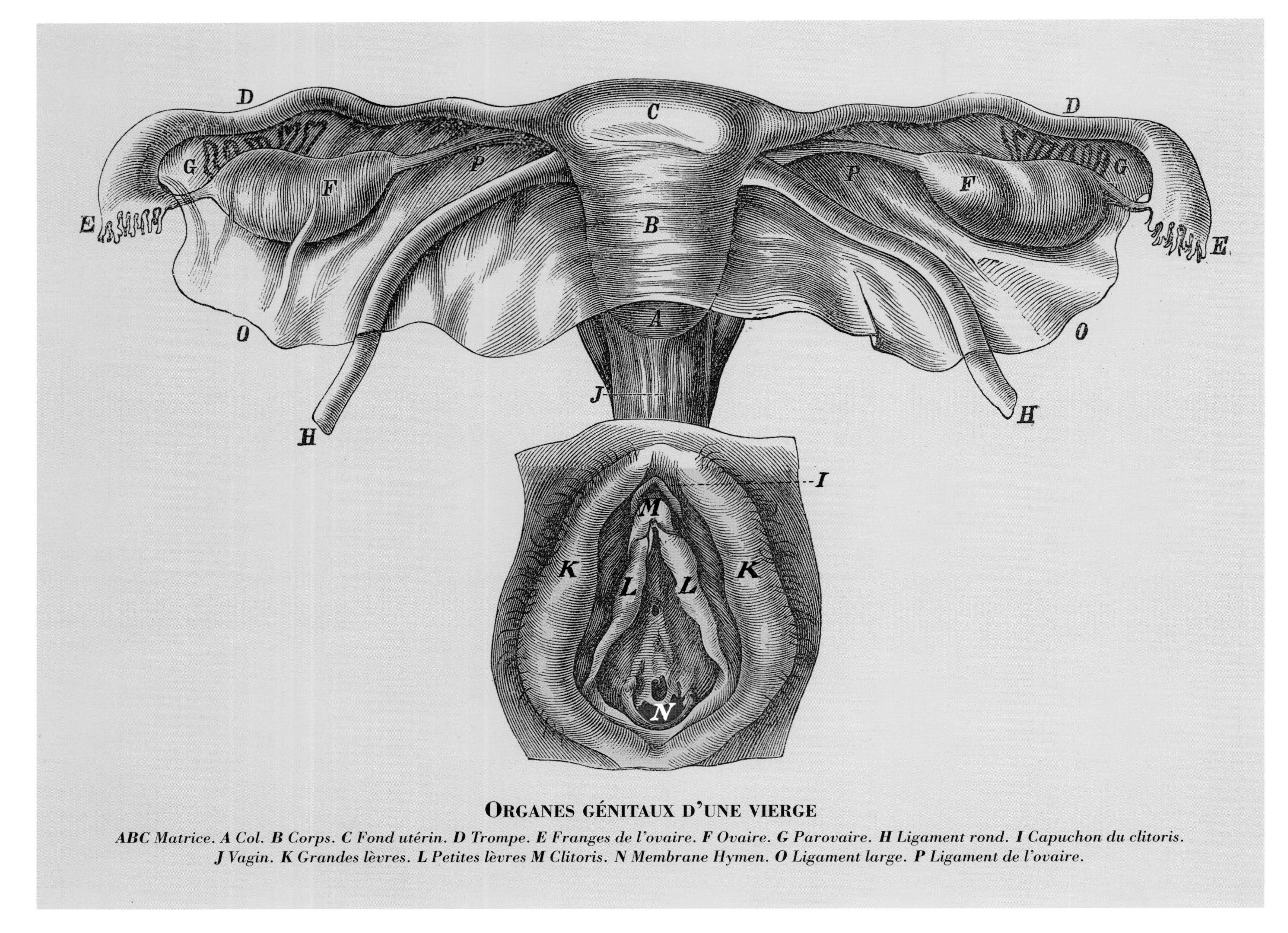

Organes génitaux d'une vierge

***ABC** Matrice. **A** Col. **B** Corps. **C** Fond utérin. **D** Trompe. **E** Franges de l'ovaire. **F** Ovaire. **G** Parovaire. **H** Ligament rond. **I** Capuchon du clitoris. **J** Vagin. **K** Grandes lèvres. **L** Petites lèvres **M** Clitoris. **N** Membrane Hymen. **O** Ligament large. **P** Ligament de l'ovaire.*

100 % PURE PUCELLE VIERGE

Le Dauphin est convaincu que Jeanne est bien envoyée par le roi du ciel, mais certains de ses conseillers sont sceptiques. La cour se transporte à Poitiers, où des théologiens interrogent Jeanne pour savoir si elle est bien inspirée par le ciel, et non par le démon. Ses réponses ne montrent aucune science, mais plutôt un solide bon sens :

– Nous ne pouvons conseiller au roi de vous bailler des gens d'armes et de les mettre en péril si vous ne nous montrez pas par quelque signe que c'est bien le ciel qui vous envoie.

– En nom Dieu, je ne suis pas venue à Poitiers pour faire signes ; mais conduisez-moi à Orléans, je vous montrerai les signes par lesquels j'ai été envoyée.

– Si Notre Seigneur tout-puissant veut délivrer le royaume de France, il n'a pas besoin de soldats. Pourquoi demandez-vous une armée ?

– Les gens d'armes batailleront, et Dieu donnera victoire.

L'examen essentiel, c'est auprès de la belle-mère du Dauphin, Yolande d'Aragon, que Jeanne le subit : Yolande constate qu'elle est bien fille et non garçon ; ensuite, des matrones "examinent les secrètes parties de son corps" et déclarent que c'est une "vraie et entière pucelle". Elle n'a donc pas commis le plus terrible de tous les péchés, ce qui prouve qu'elle est aussi innocente que la Sainte Vierge – et protégée par des forces supérieures, car elle a réussi à chevaucher avec des soldats tout en gardant sa virginité.

Remarque n° 1 : un homme ne peut pas bénéficier de cette manière commode de démontrer que c'est bien Dieu qui le sponsorise et non le diable !

Remarque n° 2 : Jeanne n'était pas très indulgente envers les ribaudes qui accompagnaient d'habitude les troupes. On dit qu'elle a cassé son épée en frappant l'une de ces ribaudes pour la chasser.

À l'époque de Jeanne, le mot "pucelle" signifie simplement "jeune fille" (du latin puella, fille). Il implique la virginité (cf. l'expression "une vraie jeune fille"). Plus tard, seul le sens de "vierge" est resté.

ihs
maria

Jeanne porte sans doute une épée, mais elle a peur de faire du mal à ses ennemis, donc elle ne s'en sert pas beaucoup. Son arme principale, c'est son grand étendard, qu'elle déclare aimer "quarante fois mieux" que son épée. Elle l'a dessiné elle-même, selon un schéma indiqué par ses voix. Sur un fond blanc, une image de Jésus bénit un ange qui lui présente une fleur de lys. Sa puissance symbolique et psychologique est immense : les Français, qui croient aux pouvoirs magiques de Jeanne, sont tout ragaillardis quand ils voient apparaître son étendard ; les Anglais, qui ont aussi entendu parler de ses pouvoirs magiques et les attribuent au démon, sont terrifiés. L'étendard porte les mots "Jhesus" et "Maria", qui lui seront reprochés au cours de son procès. C'est que l'Église officielle n'aime pas les "frères mendiants", dont la devise est justement "Jesus Maria". Jean Pasquerel, un moine qui accompagne Jeanne comme confesseur, est un frère mendiant. On leur reproche de vouloir adorer Jésus et Marie directement, sans passer par l'Église. Jeanne, elle aussi, communique directement avec ses voix.

Le pont sur la Loire, les remparts et la ville d'Orléans (XVIe siècle).

LE DOSSIER DU SIÈGE D'ORLÉANS

L'Anglais Salisbury commence le siège le 12 octobre 1428. Tué par un boulet de canon, il est remplacé par Talbot. Alors que le roi d'Angleterre est officiellement roi de France et que les Anglais sont bien accueillis dans d'autres villes, les habitants d'Orléans les considèrent certainement comme des ennemis. D'une part, ils retiennent le duc d'Orléans, prisonnier en Angleterre depuis la bataille d'Azincourt ; d'autre part, assiéger une ville dont on détient le seigneur est contraire aux règles de la chevalerie, puisque l'absence de leur général handicape les assiégés.

Les Anglais occupent des bastides (ou bastilles) tout autour de la ville, et en particulier le fort des Tourelles, qui commande le pont. L'encerclement n'est pas complet : seules certaines bastides sont reliées entre elles par des fortifications appelées "boulevards". Si les Anglais réussissent à refermer le cercle, les habitants devront manger les chevaux et les chiens. En attendant, Jeanne réussit à entrer dans Orléans avec un convoi de vivres le 29 avril 1429. Les habitants lui font un véritable triomphe, "comme si elle était un ange de Dieu". Le "bâtard d'Orléans", demi-frère du duc et défenseur de la ville, est allé à sa rencontre. Il pensait que le convoi ne pouvait pas entrer dans la ville par la Loire et proposait un détour, mais le vent a tourné au bon moment et poussé les bateaux. Jeanne exulte : “En nom Dieu, le conseil du Seigneur est plus sage que le vôtre !”

Elle voudrait se battre tout de suite. Le bâtard (connu ensuite sous le nom de Dunois) lui conseille d’attendre les renforts envoyés par le dauphin – cinq mille hommes, à mille ou deux mille près.

Jeanne envoie un message aux Anglais au bout d’une flèche : “Vous, Anglais, qui n’avez aucun droit sur ce royaume de France, le roi des cieux vous ordonne et mande par moi, Jeanne la Pucelle, que vous quittiez vos forteresses et retourniez dans votre pays, ou sinon je vous ferai tel hahai dont sera perpétuelle mémoire.” Les Anglais poussent de grands cris : “Ce sont nouvelles de la putain des Armagnacs !” En entendant ces mots, Jeanne soupire et pleure d’abondantes larmes...

Le 4 mai 1429, Jeanne interrompt sa sieste en entendant des bruits d’armes : “En nom Dieu, mon conseil me dit que j’aille contre les Anglais.” Une échauffourée se produit devant la bastille Saint-Loup. Les troupes, galvanisées par la présence de Jeanne, prennent la bastille.

La prise du fort des Tourelles (bas-relief du XIXe siècle sur le socle d’une statue de Jeanne d’Arc).

SUPERJEANNE

Le 6 mai, Jeanne reprend la bastille des Augustins. Les capitaines tiennent conseil et se félicitent de leur succès. Jean Pasquerel, le confesseur de Jeanne, raconte ce conseil :

“Ils voyaient qu’ils étaient peu nombreux au regard des Anglais, et que Dieu leur avait fait grande grâce des satisfactions obtenues. Considérant que la ville était bien munie de vivres, ils proposaient de la garder en attendant d’autres secours du roi. Il ne leur semblait pas indiqué que les soldats sortissent le lendemain. Jeanne répondit : – Vous avez été à votre conseil, et moi au mien ; et croyez que le conseil de mon Seigneur sera accompli et tiendra, et que le vôtre périra.

Et s’adressant à moi :

– Levez-vous demain bon matin. Tenez-vous toujours auprès de moi, car demain j’aurai beaucoup à faire et plus que je n’eus jamais, et demain le sang me sortira du corps au-dessus de mon sein.”

Le lendemain, Jeanne est blessée par une flèche en attaquant la bastille des Tourelles. On lui applique un pansement d’huile d’olive et de lard. Elle repart au combat. La bastille, la plus importante de toutes, est défendue par les troupes d’élite des Anglais, qui résistent vigoureusement. Vers la fin de la journée, les capitaines français veulent renoncer. Jeanne lève haut son étendard pour un dernier assaut… et réussit à emporter la forteresse des Tourelles. Le pont sur la Loire est français ! Les Anglais ont perdu de nombreux combattants. Le 8 mai, ils abandonnent les bastides qui leur restent et se replient sur d’autres forteresses de la Loire. Jeanne d’Arc a délivré Orléans.

Jeanne devient aussitôt célèbre dans toute l’Europe, c’est-à-dire au moins en Italie, en Allemagne et en Flandre. Le représentant d’un armateur vénitien, Antonio Norosini, écrit à son patron : “Je veux vous dire d’une gentille damoiselle de France, ou même pour mieux dire, d’un gentil ange, venu de par Dieu pour restaurer le bon pays de France, qui était déjà perdu…”

Après une longue éclipse, Jeanne est redevenue célèbre après la défaite de 1870 (voir p. 60). Les tableaux et les dessins (et les cartes postales…) la représentant sont presque tous postérieurs à cette date.

LA PÂTÉE À PATAY

Poursuivant sur sa lancée, Jeanne chasse les Anglais des forteresses où ils se sont repliés : Jargeau (12 juin), Meung, Beaugency (17 juin).

Toujours audacieuse, au duc d'Alençon qui hésite :

– Avant, gentil duc, à l'assaut !

– N'est-il pas trop tôt ?

– N'ayez doute, l'heure est prête quand il plaît à Dieu. Ah, gentil duc, craindrais-tu ?

Elle remporte une grande victoire à Patay le 18 juin. La chance est avec elle : alors que son armée est sur le point de tomber dans une embuscade tendue par une avant-garde anglaise cachée derrière une haie, un cerf qui passe par là sème la panique parmi les Anglais : "What is it ? A stag !" Jeanne considère que c'est Dieu qui envoie le cerf pour l'aider, bien sûr. Le gros de l'armée anglaise, voyant de l'agitation du côté de l'avant-garde, vient à son secours : "Quick ! Hurry up !" L'avant-garde, dans son affolement, ne comprend pas que l'armée vient à son aide, mais croit que les Français l'ont prise à revers et la poursuivent. C'est la débandade. L'avant-garde en déroute gêne le gros de l'armée,

Les Français, qui n'avaient pas vu l'avant-garde derrière sa haie et auraient très bien pu perdre la bataille, remportent la victoire sans avoir combattu. Ils se contentent de poursuivre et de massacrer les Anglais. Selon les chiffres officiels (donnés par un chroniqueur bourguignon, plus ou moins neutre dans cette affaire-là), on compte deux mille morts du côté anglais et seulement trois du côté français. Les Français capturent les principaux généraux ennemis.

qui s'enfuit à son tour. En fait, les Anglais sont au bord de la crise de nerfs depuis la délivrance inexpliquée d'Orléans. Qu'est-ce que c'est que cette fillette en armure qui mène des troupes ? On dirait qu'elle abat les murailles par sortilège, et voici maintenant qu'elle se métamorphose en cerf... Help ! Help !

L'ange de la cathédrale de Reims a vu Jeanne d'Arc et Charles VII. Il en sourit encore.

SACRÉ CHARLOT !

Jeanne et le duc d'Alençon vont voir le Dauphin à Sully-sur-Loire pour le convaincre
– contre l'avis de ses conseillers, toujours prudents – de partir pour Reims. La prudence est justifiée :
la ville de Reims est bourguignonne ainsi que toutes les provinces que l'on doit traverser.
Heureusement, la réputation de Jeanne l'a précédée. Les villes se rendent sans résister,
c'est-à-dire changent de camp. Voici, par exemple, ce que dit Jeanne au Dauphin devant Troyes :
– Gentil Dauphin, cette cité est vôtre. Si vous voulez demeurer devant deux ou trois jours,
elle sera en votre obéissance ou par amour ou par force, n'en faites aucun doute.
Les conseillers émettent des doutes, le Dauphin lui fait confiance. Elle prépare l'assaut.
Les habitants de Troyes, frappés de terreur, demandent à parlementer et ouvrent la ville.
Ensuite, les habitants de Châlons-sur-Marne font de même.
On s'approche de Reims, ville gardée par de hauts remparts. Le Dauphin est très inquiet.
– N'ayez doute, lui dit Jeanne, car les bourgeois viendront au-devant de vous
et feront obéissance avant que vous n'arriviez aux portes de la ville. Avancez hardiment, et ne craignez
rien, car si vous voulez procéder virilement tout votre royaume est à vous.
En effet, les députés de Reims font soumission, la population accueille les Français avec enthousiasme.
Le 17 juillet 1429, le Dauphin est sacré roi de France. Il devient Charles VII.
Jeanne assiste au sacre en tenue de combat, portant fièrement son grand étendard.
Elle a peut-être choisi de porter son armure parce qu'elle la considère plus élégante que ses grossiers
habits d'homme, mais les courtisans trouvent sa tenue incongrue. Un grave malentendu s'installe.
Alors que Jeanne veut combattre jusqu'au départ du dernier Anglais,
le roi et la cour se satisfont de la délivrance d'Orléans et du couronnement. Ils ont envie de rentrer
au sud de la Loire, dans leurs palais, pour célébrer la victoire par de grandes fêtes.

LES PARISIENS : "EH, LA PUCELLE, RETOURNE À TES MOUTONS !"

Jeanne réussit à convaincre le roi de continuer sa marche triomphale. Après avoir délivré Orléans, Beaugency, Troyes, Châlons-sur-Marne et Reims, elle espère libérer Paris. On avance vers la capitale. Les villes de Soissons, Laon, Château-Thierry, Coulommiers, Provins et Compiègne se rallient au roi. Oui, mais Paris ne va pas changer de camp si facilement. L'Université est puissante et favorable aux Bourguignons. La population a gardé un mauvais souvenir des Armagnacs, qui ont occupé la ville quelques années plus tôt : des soldats grossiers, qui parlaient un dialecte gascon incompréhensible. Pour eux, Jeanne représente une sorte de parti espagnol...

Les conseillers du roi lui démontrent que ce serait une erreur d'attaquer la ville. Les pertes humaines seraient considérables, le risque immense. Il serait beaucoup plus simple de négocier avec les Bourguignons : puisqu'ils sont en train de perdre leurs villes une par une, ils ont tout intérêt à accepter un traité pour arrêter l'hémorragie. Quand les Armagnacs et les Bourguignons seront unis, les Anglais n'auront plus qu'à repartir. Le roi hésite. Il laisse Jeanne attaquer Paris le 8 septembre, sans lui apporter un soutien total. Elle échoue. Elle est blessée devant la porte Saint-Honoré, à peu près à l'endroit où se trouve aujourd'hui sa statue de la rue des Pyramides. C'est sa première défaite. Elle n'est plus invincible.

LES RÉCRÉATIONS DE LA COUR

Le 21 septembre, le roi dissout l'armée, qui lui coûte trop cher. Le temps des politiques succède à celui des guerriers, on n'a donc plus besoin de Jeanne. Son impétuosité et ses certitudes deviennent gênantes maintenant qu'il faut négocier. Le roi et ses conseillers aimeraient qu'elle retourne garder ses moutons. Elle préfère s'installer à la cour, espérant que la guerre reprendra. Elle échange sa tenue d'homme contre une robe.

Vers la fin de la guerre de Cent Ans, les nobles se consolent des malheurs du pays en vivant de manière extravagante. Le duc de Berry avait plus de deux cents domestiques. Les dames ont jusqu'à dix demoiselles de compagnie, dont la seule occupation est effectivement de "tenir compagnie" à leur maîtresse pour aller cueillir des fleurettes dans les champs, jouer aux boules et écouter des ménestrels chanter lais, virelais, rondeaux, complaintes et ballades. Il ne faut pas confondre ces gentes demoiselles avec les servantes qui trottinent derrière les dames en portant la queue de leur robe !

Les chapeaux des dames sont si pointus que l'on doit rehausser les portes des châteaux.

Les messieurs aiment les vêtements verts, violets, bleus, roses, écarlates. Ils portent un pourpoint de soie collant au corps (ou justaucorps), une veste plissée (ou jaque) si raide qu'ils ne peuvent pas la mettre eux-mêmes, et une houppelande fourrée d'écureuil (petit-gris) ou de zibeline. Une devise, un poème ou la partition d'une chanson est brodée en fils d'or ou en perles fines sur leur ceinture, à laquelle pendent toutes sortes de colifichets. Leurs chaussures se terminent par des pointes (ou poulaines) si longues – plus de 50 centimètres – qu'il faut les relever avec une ficelle attachée à la ceinture.

Chaque soir, on dresse des planches sur des tréteaux pour le souper. Les seigneurs et les dames, assis sur des bancs, se coiffent de fleurs pour manger. Parmi les dizaines de mets servis, on trouve des cygnes, des paons, des hérons, des marsouins, apprêtés avec toutes sortes d'épices exotiques. Des jongleurs et des ménestrels amusent la compagnie. Des chiens courent autour de la table pour mendier ce que les convives veulent bien leur donner.

Au cours d'une fête restée célèbre, on sert un immense pâté en croûte duquel sort une musique mystérieuse. Quand on l'ouvre, on découvre qu'il contient vingt-huit ménestrels !

Bien entendu, la vie des paysans est beaucoup plus misérable. Les campagnes sont désertes. On cultive seulement les terres à proximité des villes fortifiées, afin de pouvoir se réfugier à l'intérieur des remparts en cas d'attaque. Au milieu même des villes, on cultive le moindre lopin de terre.

JEANNETTE ET LES TROIS JEANNE

Jeanne ronge son frein. On lui confie des petites opérations de police contre des bandits ou des alliés peu sûrs. Elle ne réussit pas à prendre la ville de Charité-sur-Loire, où s'est retranché le plus puissant des chefs de bande, Perrinet-Gressard.

Charles VII finit par négocier avec les Bourguignons. On arrête toutes les opérations de police. Philippe le Bon est malin, Charles VII naïf et mal conseillé. Non seulement la négociation tourne à l'avantage des Bourguignons, mais ils préparent secrètement leur revanche avec leurs alliés anglais. Bientôt, Philippe le Bon rompt la trêve. Il envoie son capitaine Jean de Luxembourg assiéger Compiègne. Les habitants de la ville appellent le roi à leur secours. En un geste dérisoire, il envoie quelques dizaines de gens d'armes.

Jeanne rassemble une petite troupe, qu'elle paie de sa poche – des mercenaires, en quelque sorte – et accourt pour défendre la ville. Elle taille en pièce quatre cents Anglais qui tentent de lui barrer la route. Elle entre à Compiègne. La situation est désespérée :

– Mes enfants et chers amis, dit-elle à ses compagnons, je vous signifie que l'on m'a vendue et trahie, et que de bref, je serai livrée à mort. Si vous supplie que vous priiez Dieu pour moi.

Dès le début de son aventure, à Chinon, elle a annoncé : "Je durerai un an."

Le 24 mai 1430, elle tente une sortie avec cinq cents hommes. Les Bourguignons et les Anglais, beaucoup plus nombreux, ne sont pas loin de céder à la panique, mais se ressaisissent et mettent sa troupe en déroute. Les Français refluent vers la ville. Jeanne, comme à son habitude, veut se battre jusqu'au bout. Les défenseurs de la ville ferment les portes des remparts – certains disent par trahison, d'autres par erreur. Jeanne, seule à l'extérieur avec quelques proches, est capturée par un lieutenant de Jean de Luxembourg, qui la remet à son seigneur. Le duc de Bourgogne vient la voir, “plus joyeux que s’il eût eu un roi entre les mains”. Pendant cinq mois, Jeanne est prisonnière de Jean de Luxembourg. Elle est bien traitée. Elle habite dans la demeure familiale du comte, le château de Beaurevoir (près de Cambrai, dans le nord de la France). La tante du comte, Jeanne de Luxembourg, son épouse, Jeanne de Béthune, et Jeanne de Bar, fille d’un premier mariage de Jeanne de Béthune, la prennent en amitié. En compagnie de ces femmes généreuses et raffinées, elle est aussi heureuse que peut l’être une prisonnière, semble-t-il. Loin des extravagances choquantes de la cour, elle découvre le plaisir de vivre en compagnie de gens cultivés.

Les Anglais réclament Jeanne. Ils proposent beaucoup d’argent. Leur représentant est l’évêque de Beauvais, Pierre Cauchon – parce que Compiègne, le lieu de capture, dépend de l’évêché de Beauvais. La vieille Jeanne de Luxembourg s’oppose vivement à la transaction. Elle comprend bien que les Anglais veulent la mort de Jeanne. Comme les compagnons de la Pucelle, elle l’admire et et elle l’aime. Elle menace son neveu de le déshériter s’il vend Jeanne.

Tentative désespérée de Jeanne d’Arc pour échapper au sort qui l’attend : elle noue ses draps ensemble et descend le long de la muraille. La corde improvisée est trop courte (ou se casse, selon certains). La pauvre Jeannette tombe de haut. Tout étourdie, elle est reprise aussitôt. Il est sans doute écrit que le destin de Jeanne doit s’accomplir : Jeanne de Luxembourg meurt en novembre 1430.

AU REVOIR BEAUREVOIR

Bien que Jean de Luxembourg soit un vassal du duc de Bourgogne, il peut céder sa captive à qui il veut. Tiens, le roi Charles VII pourrait parfaitement la racheter moyennant rançon ! Selon certains historiens, il ne se manifeste pas du tout, comme s'il avait oublié l'existence de Jeanne. D'autres pensent que le comte de Luxembourg exigeait une rançon trop élevée. Ils disent aussi que le comte, allié du duc de Bourgogne, ne pouvait pas remettre Jeanne au roi de France, son ennemi. Le 21 novembre 1430, Jean de Luxembourg livre Jeanne aux Anglais contre dix mille écus d'or. L'évêque Cauchon déclare qu'il est prêt à payer cette somme "bien que la prise de cette femme ne soit pareille à celle d'un roi ou d'un prince", ce qui laisse penser que c'est une rançon énorme,

MONSIEUR C... VII, SANS DOMICILE FIXE : "JE N'AI PAS UN SOU. OÙ AURAIS-JE PU TROUVER DIX MILLE ÉCUS ?"

digne d'un roi – plus de cent millions de francs d'aujourd'hui (ou quinze millions d'euros), selon les spécialistes. L'évêque exagère peut-être un peu. À titre de comparaison, la rançon du principal conseiller du roi, La Trémouille, capturé par le bandit Perrinet-Gressard, s'élève à quatorze mille écus. Il est vrai qu'il a su si bien profiter de sa fonction (dit-on) qu'il est devenu beaucoup plus riche qu'un roi. La rançon du duc d'Orléans, prisonnier à Londres depuis quinze ans, s'élève à deux cent mille écus. Capturer un seigneur sur un champ de bataille, c'était gagner le gros lot : la rançon assurait vos revenus pour tout le reste de votre vie. De nombreux nobles ont été totalement ruinés et réduits à la misère par la rançon qu'ils ont dû verser pour être libérés. En toute rigueur, la somme payée par l'évêque Cauchon n'est pas une "rançon", puisque son versement n'aboutit pas à la libération de la prisonnière, comme dans le cas d'une rançon. Jean de Luxembourg a vendu Jeanne à des gens qui voulaient sa mort.

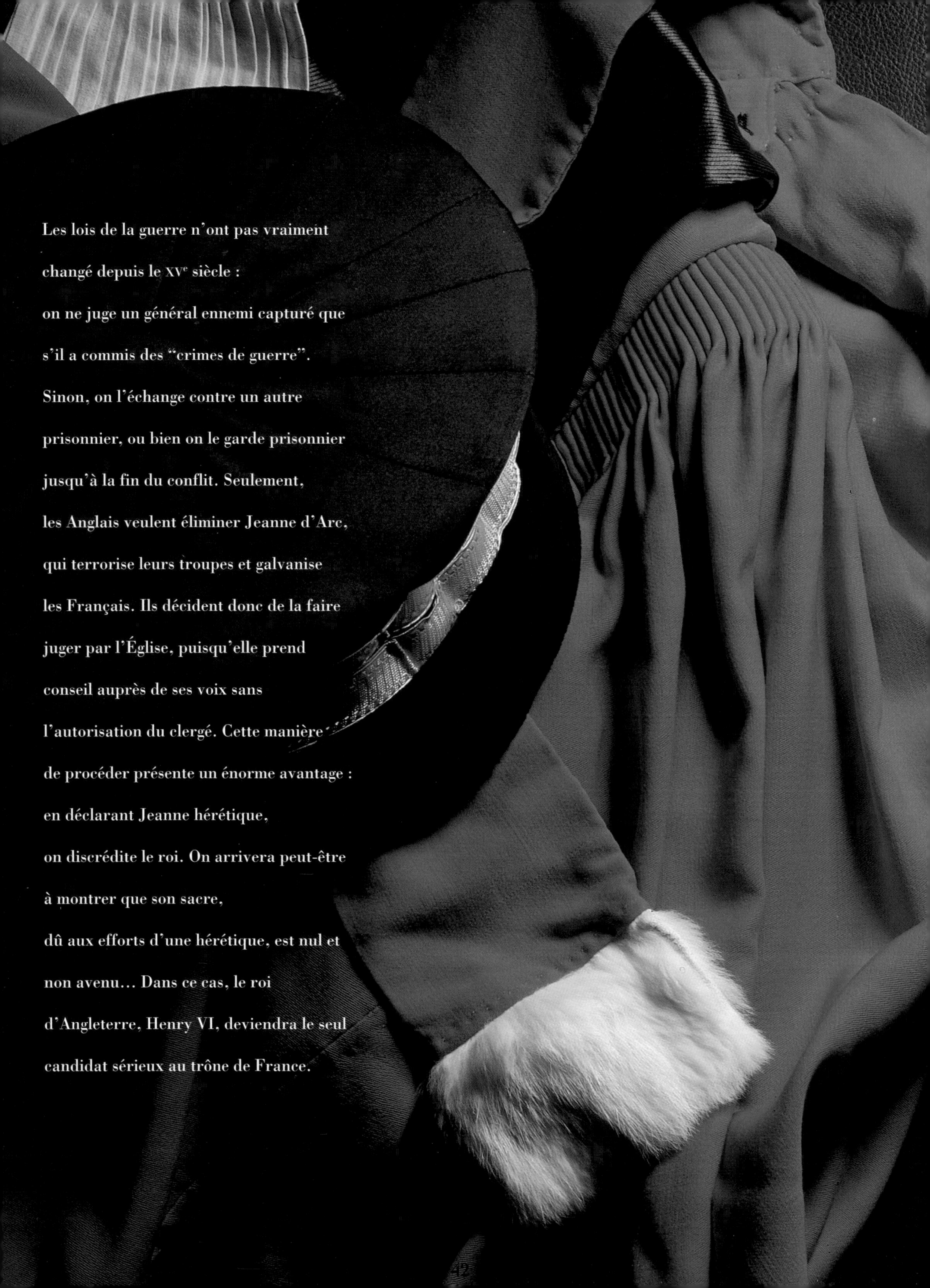

Les lois de la guerre n'ont pas vraiment changé depuis le XVe siècle : on ne juge un général ennemi capturé que s'il a commis des "crimes de guerre". Sinon, on l'échange contre un autre prisonnier, ou bien on le garde prisonnier jusqu'à la fin du conflit. Seulement, les Anglais veulent éliminer Jeanne d'Arc, qui terrorise leurs troupes et galvanise les Français. Ils décident donc de la faire juger par l'Église, puisqu'elle prend conseil auprès de ses voix sans l'autorisation du clergé. Cette manière de procéder présente un énorme avantage : en déclarant Jeanne hérétique, on discrédite le roi. On arrivera peut-être à montrer que son sacre, dû aux efforts d'une hérétique, est nul et non avenu... Dans ce cas, le roi d'Angleterre, Henry VI, deviendra le seul candidat sérieux au trône de France.

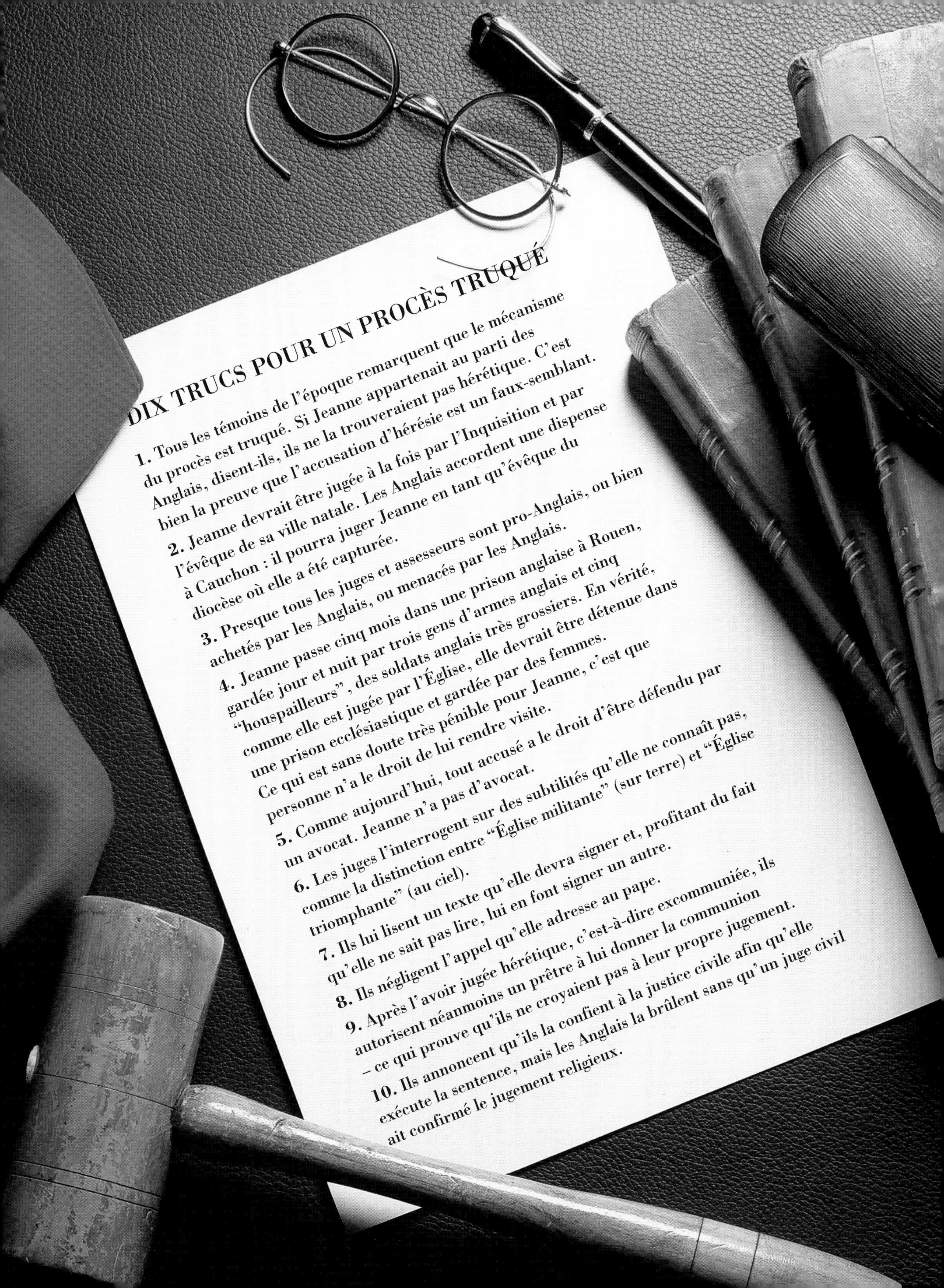

DIX TRUCS POUR UN PROCÈS TRUQUÉ

1. Tous les témoins de l’époque remarquent que le mécanisme du procès est truqué. Si Jeanne appartenait au parti des Anglais, disent-ils, ils ne la trouveraient pas hérétique. C’est bien la preuve que l’accusation d’hérésie est un faux-semblant.

2. Jeanne devrait être jugée à la fois par l’Inquisition et par l’évêque de sa ville natale. Les Anglais accordent une dispense à Cauchon : il pourra juger Jeanne en tant qu’évêque du diocèse où elle a été capturée.

3. Presque tous les juges et assesseurs sont pro-Anglais, ou bien achetés par les Anglais, ou menacés par les Anglais.

4. Jeanne passe cinq mois dans une prison anglaise à Rouen, gardée jour et nuit par trois gens d’armes anglais et cinq “houspailleurs”, des soldats anglais très grossiers. En vérité, comme elle est jugée par l’Église, elle devrait être détenue dans une prison ecclésiastique et gardée par des femmes. Ce qui est sans doute très pénible pour Jeanne, c’est que personne n’a le droit de lui rendre visite.

5. Comme aujourd’hui, tout accusé a le droit d’être défendu par un avocat. Jeanne n’a pas d’avocat.

6. Les juges l’interrogent sur des subtilités qu’elle ne connaît pas, comme la distinction entre “Église militante” (sur terre) et “Église triomphante” (au ciel).

7. Ils lui lisent un texte qu’elle devra signer et, profitant du fait qu’elle ne sait pas lire, lui en font signer un autre.

8. Ils négligent l’appel qu’elle adresse au pape.

9. Après l’avoir jugée hérétique, c’est-à-dire excommuniée, ils autorisent néanmoins un prêtre à lui donner la communion – ce qui prouve qu’ils ne croyaient pas à leur propre jugement.

10. Ils annoncent qu’ils la confient à la justice civile afin qu’elle exécute la sentence, mais les Anglais la brûlent sans qu’un juge civil ait confirmé le jugement religieux.

GRAND QUIZ. SI VOUS TROUVEZ LES BONNES RÉPONSES, VOUS SEREZ BRÛLÉ QUAND MÊME !

Les techniques d'interrogation n'ont pas beaucoup varié de l'Inquisition à la Gestapo. L'évêque Cauchon, le dominicain Jean Lemaître et de nombreux assesseurs, examinateurs, procureurs, experts en théologie, etc. posent un feu roulant de questions pendant six à huit heures pour conduire Jeanne à commettre des erreurs. "Beaux seigneurs, faites l'un après l'autre", leur dit-elle fréquemment. Elle sait ce qu'elle risque et répond très prudemment. Elle n'hésite pas à dire : "Je ne peux pas répondre à une question si difficile."

Jeanne a très bonne mémoire. Souvent elle dit : "Vous m'avez déjà posé cette question, relisez donc vos notes !"Pourtant, elle se débrouille très bien. Voici quelques-unes de ses meilleures réponses.

– Êtes-vous en état de grâce ?

– Si j'y suis, Dieu m'y garde ; si je n'y suis, Dieu m'y mette !

C'est une question piège, bien sûr. Si Jeanne répond non, elle admet que ce n'est pas Dieu qui l'inspire, mais le diable. Si elle répond oui, elle commet le péché d'orgueil.

Il ne faut pas croire que la question était courante et la réponse banale. D'après le greffier, Jeanne commence par hésiter : "C'est chose grande que de répondre sur un tel sujet..." Après qu'elle eut répondu, les juges furent stupéfaits, et sur l'heure ils s'arrêtèrent, et ne l'interrogèrent pas davantage cette fois-là."

– Est-ce que saint Michel vous apparaît tout nu ?

– Croyez-vous que Dieu n'ait pas de quoi le vêtir ?

– Pourquoi votre étendard occupait-il la première place au sacre ?

– Il avait été à la peine, c'était bien raison qu'il fût à l'honneur !

– Est-ce que Dieu hait les Anglais ?

– De l'amour ou de la haine que Dieu a pour les Anglais, ou de ce qu'il fera à leurs âmes, je ne sais rien, mais je sais bien qu'ils seront boutés hors de France, excepté ceux qui y mourront.

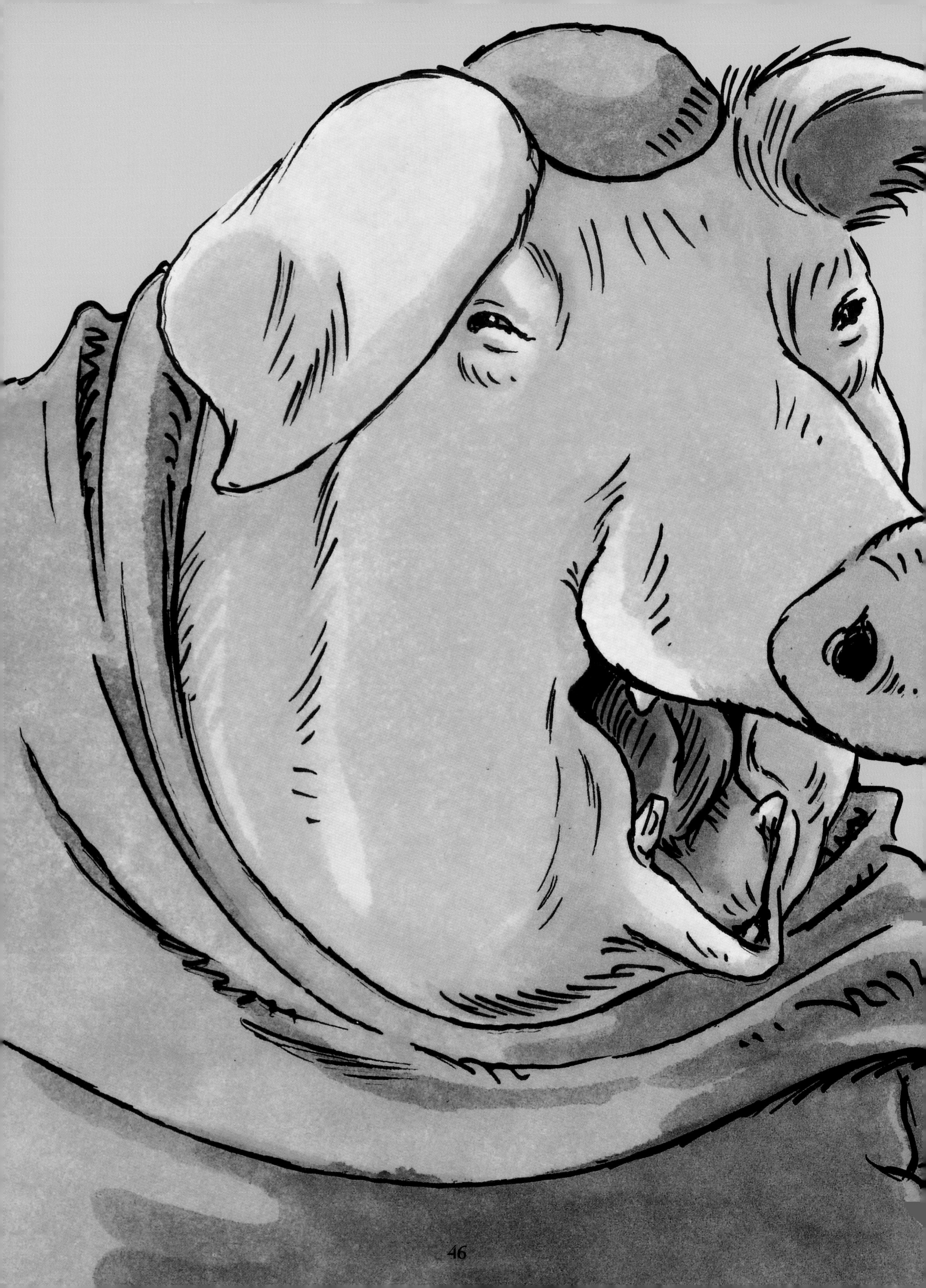

CE COCHON DE CAUCHON

Puisqu'il s'agit d'un procès religieux, les juges doivent offrir à Jeanne la possibilité d'abjurer, c'est-à-dire de renoncer à ses erreurs pour assurer le salut de son âme. Ils dressent la liste des douze accusations que l'on a retenues sur les soixante-dix que l'on avait préparées au début du procès (dont la plupart reposaient sur des rumeurs fantaisistes ou absurdes, que Jeanne n'a eu aucun mal à réfuter).

Le 24 mai 1431, on emmène Jeanne dans un cimetière. L'évêque Cauchon a fait dresser un bûcher et convoqué le bourreau. Ici, les témoignages divergent. Selon les uns, on aurait lu à Jeanne un acte d'accusation détaillé en français juridique et en latin, qu'elle ne pouvait pas comprendre. Selon les autres, l'acte d'accusation aurait été résumé en quelques lignes. Jeanne doit accepter l'autorité de l'Église et renoncer à s'habiller en homme.

Si Jeanne refuse d'abjurer, on l'envoie au bûcher immédiatement. Si elle accepte, elle reconnaît que la cause du Dauphin Charles n'est pas soutenue par Dieu. Cauchon gagne à tous les coups.

À la surprise générale, Jeanne s'effondre et accepte d'abjurer. La dureté et la longueur des interrogatoires l'ont peu à peu épuisée. Elle est sans doute terrifiée par la vue du bûcher. Elle a seulement dix-neuf ans.

Elle reconnaît que ses apparitions n'étaient peut-être pas de véritables saints et anges, qu'elle s'est montrée présomptueuse en affirmant que Dieu lui donnait des instructions, qu'elle a eu tort de "porter un habit dissolu, difforme et déshonnête, contraire à la décence de nature, et des cheveux rognés en rond à la mode des hommes".

Puisqu'elle a abjuré, Jeanne n'est pas condamnée au bûcher, mais à la réclusion perpétuelle "avec pain de douleur et eau de tristesse, afin qu'elle pleure ses fautes et n'en commette plus désormais".

Les Anglais ne sont pas contents que Jeanne puisse échapper à la mort en signant simplement un document de renonciation. L'évêque Cauchon leur dit de ne pas s'inquiéter. Cette phase du procès n'est qu'une première étape : "Messires, ne vous mettez pas en souci, nous la rattraperons bien !"

LE PANTALON QUI TUE

Si la loi était respectée, l'Église devrait s'occuper de Jeanne après son abjuration. Or on ne la conduit toujours pas dans une prison religieuse. Elle retourne dans la même cellule, avec les mêmes horribles soldats anglais. La seule différence, c'est qu'elle est maintenant habillée en femme.

C'est là que le piège va se refermer : Jeanne retombe dans le péché – donc se condamne elle-même – en remettant ses habits d'homme. Pourquoi ? Les témoins du procès de réhabilitation, qui se déroule vingt ans après les faits, donnent deux raisons différentes. Pour les uns, les Anglais ont tout simplement remplacé ses vêtements de femme par ses vêtements d'homme au milieu de la nuit. Quand elle veut "se lever pour un besoin naturel", elle est bien obligée de mettre ses habits d'homme.

Pour les autres, les soldats ont tenté de la violer, sans doute sur ordre de leurs supérieurs et pour la forcer à remettre son pantalon. Par exemple, le moine

Martin Ladvenu déclare que “la simple Pucelle lui révéla que, après son abjuration et renonciation, on l’avait tourmentée violemment en la prison, molestée et battue, et qu’un milourt anglais l’avait forcée. Elle disait que cela était la cause pourquoi elle avait repris habit d’homme.”

Jeanne comprend qu’elle est tombée dans un piège et qu’elle est perdue. La veille, elle acceptait de dire tout ce qu’on voulait par peur du bûcher ; elle paraissait perdre ses certitudes inspirées et redevenir la pauvre petite paysanne Jeannette de Domrémy. Maintenant, elle redresse la tête.

Elle reprend son rôle de Pucelle envoyée de Dieu. Elle abjure son abjuration et affirme aux juges qu’elle croit toujours à l’origine divine de ses voix :

– Avez-vous entendu vos voix depuis l’abjuration ?

– Oui. Elles m’ont dit la grande pitié de la trahison que j’ai consentie en abjurant pour sauver ma vie. Que j’avais fait grande injure à Dieu. Que je me damnais pour sauver ma vie.

– Croyez-vous que vos voix viennent de Dieu ?

– Oui, elle viennent de Dieu !

– Vous avez reconnu le contraire hier.

– Tout ce que j’ai fait, c’est par peur du feu. Tout ce que j’ai révoqué est contre la vérité.

Elle sait bien qu’elle va mourir :

– J’aime mieux faire ma pénitence en une fois, c’est assavoir mourir, que d’endurer plus longue peine en prison...

Le seul portrait réalisé avec certitude du vivant de Jeanne que nous possédons. Un greffier parisien l’a tracé dans une marge en apprenant qu’une pucelle armée à libéré Orléans. Il ne l’a jamais vue et lui dessine des cheveux longs.

"DERECHEF TU ES RECHUE, COMME LE CHIEN QUI A COUTUME DE RETOURNER À SON VOMIR..."

Le tribunal prononce la sentence suivante :

"In nomine Domini, Amen. Nous, Pierre [Cauchon], par la miséricorde divine, humble évêque de Beauvais, et nous frère Jean le Maistre, vicaire de l'inquisiteur de la foi, juges compétents en cette partie. Comme toi, Jeanne dite la Pucelle, tu as été trouvée par nous rechue en diverses erreurs et crimes de schisme, d'idolâtrie, d'invocations de diables et plusieurs autres méfaits, pour ces causes par juste jugement nous t'avions déclarée telle. Toutefois pour ce que l'Église ne clôt jamais les bras à ceux qui veulent retourner à elle, nous estimâmes que, de pleine pensée et de foi non feinte, tu t'étais retirée de toutes tes erreurs auxquelles tu avais renoncé. Tu avais voué, juré et promis publiquement de ne jamais rechoir en telles erreurs ni en quelconques autres hérésies, mais de demeurer en l'union catholique et communion de notre Église et de notre saint père le pape, ainsi qu'il est convenu en une cédule de ta propre main. Toutefois derechef tu es rechue, comme le chien qui a coutume de retourner à son vomir, ce que nous récitons à grande douleur. Pour cette cause, nous te déclarons avoir encouru les sentences d'excommunication dans lesquelles tu étais premièrement enchue, et que tu es rechue dans tes erreurs précédentes. Pour quoi te déclarons hérétique. Par cette sentence, séant en tribunal de justice, en cet écrit, proférons que, comme membre pourri, nous t'avons déboutée et rejetée de l'unité de l'Église et t'avons déclarée à la justice séculière ; que nous prions de te traiter doucement et humainement*, soit en perdition de vie ou d'autres membre."

* Autrement dit : te brûler sans te torturer au préalable...

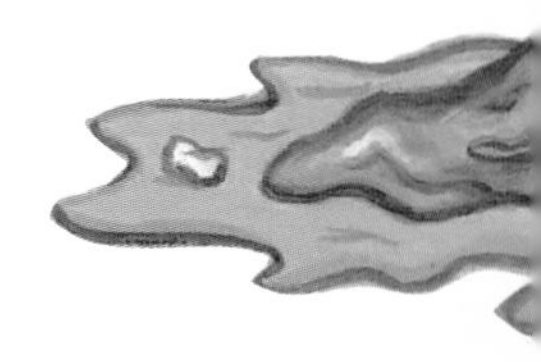

LIVRÉE À COMBUSTION

On possède le récit d'un témoin direct, le frère Jean Toutmouillé, du couvent Saint-Jacques de Rouen : "Le jour que Jeanne fut délaissée au jugement séculier et livrée à combustion, je me trouvai le matin en la prison avec frère Martin Ladvenu. Quand il annonça à la pauvre femme la mort dont elle devait mourir ce jour-là, qu'ainsi ses juges l'avaient ordonné et entendu, elle commença à s'écrier douloureusement, et pitoyablement se tirer et arracher les cheveux : – Hélas ! me traite-t-on ainsi horriblement et cruellement, qu'il faille que mon corps net en entier, qui ne fut jamais corrompu, soit aujourd'hui consumé et rendu en cendres ! Ah ! j'aimerais mieux être décapitée sept fois que d'être ainsi brûlée. Hélas ! si j'eusse été en la prison ecclésiastique à laquelle je m'étais soumise et que j'eusse été gardée par des gens d'Eglise, non par mes ennemis et adversaires, il ne me fût pas si misérablement méchu comme il est. Oh ! J'en appelle devant Dieu, le grand juge, des grands torts et ingravances qu'on me fait. Et elle se complaignait merveilleusement en ce lieu des oppressions et violences qu'on lui avait faites en la prison par les geôliers et par les autres qu'on avait fait entrer contre elle. Après ces complaintes, survint l'évêque, auquel elle dit incontinent : – Evêque, je meurs par vous."
Plusieurs centaines de soldats escortent Jeanne jusqu'à la place du Vieux-Marché. Les évêques et autres spectateurs de marque sont assis dans une tribune. Le bûcher se dresse sur une plate-forme en plâtre, de manière à ce qu'on puisse le voir de loin. Plusieurs milliers de spectateurs assistent au supplice : des soldats anglais qui rient, des bourgeois de Rouen qui se taisent. Une chaire posée sur un échaffaudage a été préparée pour Jeanne à côté du bûcher. C'est là qu'elle écoute d'abord une prédication d'un théologien, puis la sentence lue par l'évêque Cauchon. Elle s'agenouille, prie la Vierge et plusieurs saints, demande aux assistants de prier pour elle, pardonne aux juges le mal qu'ils lui ont fait. Elle parle pendant plus d'une demi-heure. Les spectateurs sont bouleversés. Même des soldats anglais pleurent. Elle réclame une croix. Un soldat anglais, ému, fabrique une petite croix avec deux bouts de bois et la tend à Jeanne au bout d'un bâton. Jeanne glisse cette croix sous sa chemise, à l'emplacement de son cœur. Elle demande à un prêtre, Martin Ladvenu, d'aller chercher un crucifix dans l'église toute proche. Les Anglais trouvent qu'il ne marche pas assez vite : "Comment, prêtre, nous ferez-vous ici dîner ?" Jeanne monte au bûcher. On l'attache. Le bourreau allume les fagots. Jeanne prie Martin Ladvenu de lever bien haut son crucifix, afin qu'elle puisse voir Jésus en croix jusqu'à la fin. Elle crie "Jésus !" plus de six fois. Sa chemise s'enflamme. De nombreux spectateurs – bourgeois, prêtres, théologiens – s'en vont car ils ne peuvent pas supporter de la voir brûler. Le bourreau emporte ses cendres et les jette dans la Seine, sur ordre des Anglais, qui veulent qu'il ne reste aucun trace d'elle. Un des juges, pris de remords, déclare : "Je voudrais que mon âme fût où je crois qu'est l'âme de cette femme." Jean Tressart, secrétaire du roi d'Angleterre, pleure et se lamente : "Nous sommes tous perdus, car c'est une bonne et sainte personne que nous avons brûlée..."

SI C'ÉTAIT UN JEU INFORMATIQUE, ON LA

1. Pierre Cauchon envoie des lettres au duc de Bourgogne, à l'empereur d'Allemagne ainsi qu'à tous les prélats importants de France et d'Europe pour les informer qu'une pucelle présomptueuse a mis la France à feu et à sang en se prétendant envoyée de Dieu, qu'elle ne reconnaissait nul juge sur terre, qu'elle s'est repentie après avoir été condamnée puis qu'elle est retombée "à ses erreurs, à ces mensongères infamies qu'elle avait vomies naguère". Il espère démontrer à la postérité qu'il a eu raison de condamner Jeanne.

2. Dans un premier temps, tout semble réussir aux Anglais. Ne craignant plus les pouvoirs surnaturels de la Pucelle, ils remportent plusieurs victoires. Pour assurer leur mainmise sur le pays, ils décident de faire couronner le jeune Henry VI, âgé de 9 ans – alors que l'âge minimum pour porter la couronne est de 13 ans. Comme la ville de Reims est passée aux Français, ils organisent le sacre à Paris. Les cérémonies sont complètement ratées. Même si le peuple de Paris soutient les Bourguignons, il sait bien que Charles VII a été sacré roi de France à Reims et que l'on ne peut pas revenir en arrière. C'est lui le roi légitime.

5. L'université de Paris, qui obéit maintenant au roi de France, veut sans doute se faire pardonner son attitude passée. Son nouveau recteur, Guillaume Bouillé, suggère la réhabilitation de Jeanne : "Quelle tache souillerait le trône royal si nos adversaires persuadaient à la postérité que le roi de France a recueilli dans son armée une hérétique, invocatrice du démon...Vingt ans après les faits, de nombreux témoins et amis de Jeanne sont encore vivants. Leurs témoignages permettent de constituer un épais dossier, qui représente aujourd'hui notre principale source d'informations sur la vie de Jeanne.

6. Le recteur-enquêteur démontre sans mal que le procès de Jeanne était truqué, que les juges religieux obéissaient en fait aux Anglais, que Jeanne n'a pas eu d'avocat, etc. Il trouve absurde qu'elle ait été condamnée à mort pour avoir remis son pantalon – d'autant plus qu'elle ne l'a pas fait de son plein gré, mais parce que Cauchon et ses gardiens l'ont forcée par ruse ou par violence.

“DÉBRÛLERAIT” EN CLIQUANT SUR “ANNULER”

3. Les Anglais apparaissent de plus en plus comme des imposteurs qui ont truqué le procès de Jeanne. Le peuple se rebelle partout. Le 3 février 1432, une audacieuse attaque des Français leur permet de reprendre la ville de Rouen, capitale des Anglais en France.

4. En 1435, Philippe de Bourgogne change de camp et signe la paix avec les Français. En 1436, les troupes de Charles VII reprennent Paris, et le roi fait son entrée solennelle dans la capitale. Les villes de Normandie tombent une à une. Le roi réorganise l'armée, lutte contre les brigands, prend son temps. Les Anglais quittent définitivement la Normandie en 1450, la Guyenne en 1453. La guerre de Cent Ans est finie. Comme Jeanne l'avait prédit, les Anglais sont repartis chez eux.

7. L'enquête préliminaire est suivie, à partir de 1452, par une enquête officielle. Il est assez délicat d'accuser tous les prélats qui ont jugé Jeanne, mais, heureusement, on peut tout mettre sur le dos de Pierre Cauchon, mort en 1442.

8. L'enquête conclut à la nécessité de réviser le procès. L'Église, embarrassée, hésite. Les juristes français, habiles, font envoyer au pape une supplique de la mère de Jeanne d'Arc, Isabelle Romée, et de ses deux frères encore vivants. En 1455, le pape accepte enfin que le procès en réhabilitation ait lieu. Jeanne est déclarée innocente le 7 juillet 1456.

JEANNE EN DATES

1412 (environ)
Naissance à Domrémy.

1425 (environ)
Elle commence à voir et à entendre saint Michel, sainte Catherine et sainte Marguerite.

1428
Mai : elle demande au sire de Baudricourt, bailli de Vaucouleurs, de lui donner des hommes d'armes. Elle veut proposer au Dauphin Charles de l'aider à bouter les Anglais hors de France. Baudricourt la renvoie chez elle.
Juillet : les Bourguignons attaquent et pillent Domrémy. Jeanne se réfugie avec ses parents à Neufchâteau.

1429
Début février : elle demande de nouveau des hommes au sire de Baudricourt. Elle va voir le duc de Lorraine à Toul. Il lui donne un peu d'argent.
13 (ou 22) février : elle quitte Vaucouleurs avec une petite escorte et chevauche de nuit vers le sud. Elle arrive à Chinon onze jours plus tard.

6 mars : le Dauphin la reçoit dans le château de Chinon.
Début avril : elle va à Poitiers, où des savants docteurs la questionnent. Yolande d'Aragon, reine de Sicile et belle-mère du Dauphin, l'examine pour vérifier qu'elle est bien vierge.
Mi-avril : de passage à Tours en attendant d'aller délivrer Orléans, elle fait coudre et peindre un grand étendard.
29 avril : elle entre à Orléans en apportant des vivres.
4 mai : elle sort de la ville et prend la bastille anglaise Saint-Loup.
6 mai : elle prend la bastille des Augustins.
7 mai : elle prend la bastille des Tourelles, qui garde le pont sur la Loire.
8 mai : les Anglais lèvent le siège d'Orléans.
12 juin : elle chasse les Anglais de la forteresse de Jargeau.
17 juin : elle les chasse de Meung et de Beaugency.
18 juin : grande victoire de Patay.
29 juin : se laissant convaincre par Jeanne, le Dauphin traverse la Loire et part pour Reims.
30 juin : les habitants d'Auxerre laissent passer le Dauphin et son armée.
10 juillet : la ville de Troyes ouvre ses portes à l'armée du Dauphin.

14 juillet : la ville de Châlons-sur-Marne donne ses clés au Dauphin.
17 juillet : sacre de Charles VII à Reims.
Fin juillet, août : Laon, Soissons, Château-Thierry, Provins, Compiègne, Senlis et Saint-Denis reconnaissent successivement l'autorité du nouveau roi.
8 septembre : Jeanne est blessée et repoussée quand elle attaque Paris.
21 septembre : le roi dissout l'armée et retourne dans ses châteaux de la Loire.
Octobre : Jeanne se repose à Bourges pendant que sa blessure cicatrise.
24 novembre : Jeanne attaque en vain la forteresse de La Charité-sur-Loire, fief du bandit Perrinet-Gressard.

1430
Janvier : les bourgeois d'Orléans la reçoivent et lui font grande fête.
Mars : elle séjourne auprès du roi à Sully-sur-Loire.
Avril : elle part avec des mercenaires pour délivrer Compiègne.
14 mai : elle entre à Compiègne.
24 mai : Jeanne est capturée par Jean de Luxembourg devant Compiègne. Il la tient prisonnière en son château de Beaurevoir, au nord de Compiègne, auprès de sa tante Jeanne. Elle y passe cinq mois.

Août : Jeanne tente de s'évader en nouant ses draps. Elle tombe au pied de la tour du château. Tout étourdie, elle est aussitôt reprise.
13 novembre : Jeanne de Luxembourg, qui protégeait Jeanne, meurt au cours d'un pèlerinage à Avignon.
21 novembre : Jean de Luxembourg vend Jeanne à l'évêque Cauchon, représentant les Anglais, pour dix mille écus d'or. Il livre la prisonnière à l'évêque près de l'embouchure de la Somme.
24 décembre : l'évêque et son escorte, après avoir suivi la côte normande et remonté la Seine, arrivent à Rouen, où Jeanne est enfermée dans une forteresse.

1431
21 février : début du procès.
17 mars : fin de l'instruction.
27 mars : lecture de l'acte d'accusation.
Avril : réquisitoires.
24 mai : Jeanne abjure. Elle est condamnée à la prison à vie.
29 mai : procès de relapse.
30 mai : Jeanne est brûlée sur la place du Vieux-Marché de Rouen.

JEANNE COMME VOUS VOULEZ

Martial d'Auvergne
(1484)

Miniature sur parchemin
(XVe siècle)

Tapisserie allemande
(XVe siècle)

La vie des femmes célèbres
(1505)

Rubens
(vers 1620)

Anonyme
(XVIIe siècle)

Jeanne, héroïne révolutionnaire
(1792)

Dessin de Boilly
(1830)

"Vision" de A. Osbert
(1892)

Thérèse de Lisieux
(1895)

Boutet de Monvel
(vers 1910)

Géralidine Farrar dans le film
de Cecil B. de Mille (1916)

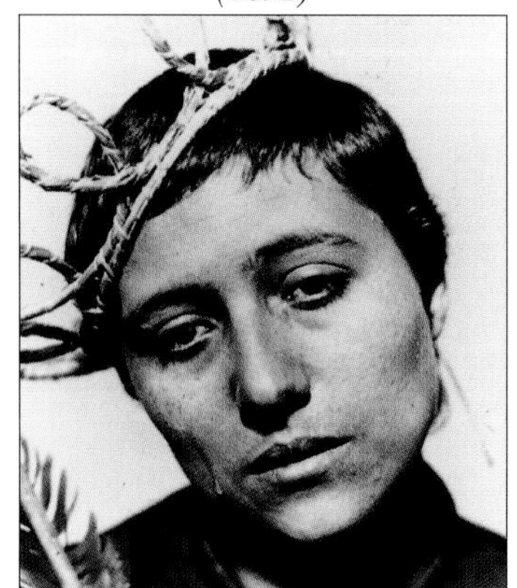

Renée Falconetti dans
le film de Carl Dreyer (1928)

Suzanne Molitor
(Fêtes du Ve centenaire, 1929)

Ingrid Bergman dans le film de
Victor Flemming (1948)

Bernard Buffet
(1957)

ON NE POSSÈDE AUCUN PORTRAIT DE JEANNE, DONC ON PEUT L'IMAGINER COMME ON VEUT. SUR LA PAGE DE GAUCHE, JEANNE VUE PAR QUELQUES PEINTRES ET CINÉASTES. VOUS POUVEZ LA DESSINER VOUS-MÊME CI-DESSOUS !

DEMI
CAMEMBERT
DE LA VALLÉE DE L'ESVES
MARQUE
DÉPOSÉE
COOPÉRATIVE DE LIGUEIL (I. & L.)
CAMEMBERT FABRIQUÉ
CAMEMBERT EXTRA
AFFINÉ AU LIEU D'ORIGINE
40% MATIÈRES GRASSES
FROMAGERIE
JEANNE D'ARC
MAXEY S/MEUSE (VOSGES)
WILLERVAL & FILS
FABRIQUE EN LORRAINE
FROMAGERIE
CAMEMBERT
MEHUN
Soft Ripened Cheese Made From Pasteurized Milk
Net Weight 8 oz
Joan of Arc
OTTO ROTH
177-179, Duane
New York
JEANNE D'ARC
SAINT DERRIEN
CAMEMBERT EXTRA
FABRIQUÉ EN TOURAINE
Abbaye de Villeloin Coulangé (I. & L.)
Entrée de Jehanne d'Arc en icelle Abbaye mars 1429
C.P.
R. GAUTHEY
Jeanne d'Arc
40%
FABRIQUÉ PAR UNION LAITIÈRE DE LORRAINE - BENESTROFF (MOSELLE)
DE LA GRANDE LORRAINE
Joan of Arc Brand
DISTRIBUTED BY: OTTO ROTH & Co. NEW YORK CITY
50%
NET WEIGHT EIGHT OUNCES
REGISTERED TRADE MARK
MANUFACTURED BY: Sté LAITIÈRE DES FERMIERS NORMANDS CAEN (CALVADOS) FRANCE
FRENCH CAMEMBERT CHEESE

CETTE LEÇON VALAIT BIEN UN FROMAGE, SANS DOUTE

Jeanne, dont Michelet venait de raconter l'histoire, est vraiment devenue une grande héroïne nationale française après la défaite de 1870. On avait besoin d'elle pour bouter les Allemands hors d'Alsace et de Lorraine ! On lui dresse des statues au coin des rues, on lui consacre des pièces de théâtre, on donne son nom à des fromages… En 1879, l'évêque d'Orléans, Mgr Dupanloup, suggère que Jeanne soit reconnue sainte. Elle est béatifiée en 1909, puis canonisée en 1920 par le pape Benoît XV. Le règlement de l'Église exige au moins deux miracles pour une canonisation. Jeanne d'Arc elle-même ne croyait pas aux miracles. Sa philosophie religieuse, c'était : "Aide-toi, le ciel t'aidera." On se souvient ce qu'elle répondait aux théologiens de Poitiers qui lui demandaient : "Si Notre Seigneur tout-puissant veut délivrer le royaume de France, il n'a pas besoin de soldats. Pourquoi demandez-vous une armée ? – Les gens d'armes batailleront et Dieu donnera victoire." En fin de compte, l'Église retient comme miracles deux guérisons qui se sont produites à Lourdes en 1909 alors que la foule invoquait la "bienheureuse Jeanne d'Arc".

ANTI-JEANNE

Les Parisiens n'aimaient pas Jeanne. L'auteur anonyme connu sous le nom de "Bourgeois de Paris" raconte son histoire à sa manière :
"Elle était venue assaillir Paris qu'elle projetait de mettre à feu et à sang... Vers 14 ans, elle avait pris des habits d'homme et ses parents l'eussent bien fait mourir, s'ils eussent pu le faire sans blesser leur conscience. C'est pour cela qu'elle les quitta en compagnie du diable. Elle se faisait idolâtrer par le peuple qui, dans sa simplicité, la suivait comme une sainte pucelle, sous prétexte qu'elle lui avait laissé entendre que le glorieux archange saint Michel, sainte Catherine, sainte Marguerite et plusieurs autres saints et saintes lui apparaissaient souvent... Elle chevauchait avec le roi, seule femme au milieu des gens de guerre, vêtue, montée et armée comme un homme, un gros bâton en main. Quand l'un de ses gens se méprenait, elle frappait dessus à grands coups de bâton comme une femme très cruelle... Elle disait qu'elle connaissait une grande partie de l'avenir ; que si elle voulait, elle ferait tonner et d'autres prodiges ; qu'une fois où on avait voulu la violer, elle avait sauté au bas d'une tour sans se blesser aucunement. En plusieurs endroits, elle fit tuer des hommes et des femmes, soit dans une bataille, soit volontairement, par vengeance, car elle faisait mourir sans pitié, quand elle le pouvait, tous ceux qui ne lui obéissaient pas..."

Cent soixante ans environ après la mort de Jeanne, le jeune William Shakespeare la met en scène dans la première partie d'un drame historique, "Henry VI", qu'il a sans doute adapté d'une œuvre antérieure d'un certain Robert Greene. Elle mène les troupes françaises avec le Dauphin, le bâtard d'Orléans et le duc d'Alençon. Fille de berger, elle a vu la Sainte Vierge "un jour que je gardais mes tendres agneaux". Devant Orléans, elle se bat contre lord Talbot, qui sent son énergie le quitter comme par sorcellerie. Elle prend la ville de Rouen par ruse, déguisée en paysanne. Talbot est furieux : "Hideuse diablesse de France, entourée de tes impudiques amants..." Ensuite, elle se bat devant Bordeaux, ce qui est vraiment très fantaisiste. Alors qu'une bataille tourne à l'avantage des Anglais près d'Angers, elle appelle ses démons, qui apparaissent sur scène mais refusent de l'aider. Les Anglais la capturent. Son père, le berger, vient la voir dans sa prison. Elle le renie, prétend qu'elle est de naissance noble. Il la maudit : "Maudite soit l'heure de ta naissance ! Je voudrais que le lait que t'a donné ta mère, quand tu tétais son sein, eût été pour toi de la mort-aux-rats ! Ou bien, quand tu gardais mes brebis aux champs, je souhaite que quelque loup affamé t'eût dévorée ! Tu renies ton père, maudite souillon ! Oh ! brûlez-la, brûlez-la." Devant le bûcher, Jeanne, terrifiée, tente d'apitoyer les Anglais : "Rien ne touchera donc vos cœurs inexorables ? Eh bien, Jeanne, révèle ta faiblesse, qui t'assure le privilège de la loi. Je suis enceinte, sanguinaires homicides. Si vous me traînez à une mort violente, ne tuez pas du moins mon enfant dans mon ventre." Elle déclare d'abord que le père est le duc d'Alençon, puis le roi de Naples. Les Anglais se moquent d'elle et l'emmènent au bûcher.

PRO-JEANNE

Parmi les contemporains de Jeanne, ses compagnons l'adorent, de même que les habitants d'Orléans et des autres villes de France. Dès le XVe siècle, on représentait à Orléans un mystère racontant l'histoire de Jeanne. Encore aujourd'hui, la ville d'Orléans célèbre sa libération chaque année, le 8 mai.
La première biographie de Jeanne d'Arc date de 1612.
Jeanne d'Arc est bien connue en Allemagne par la pièce de Schiller, *Die Jungfrau von Orleans*, dans laquelle elle est une vierge guerrière qui perd ses pouvoirs magiques en tombant amoureuse d'un soldat anglais...
L'historien Jules Michelet est le premier (mais pas le dernier) à voir en elle un symbole de la nation française.

Thérèse de Lisieux qui aimait beaucoup Jeanne d'Arc, a écrit les lignes suivantes :

Des fiers guerriers, Jeanne gagna les âmes
L'éclat divin de l'Envoyée des Cieux...
Son pur regard... Ses paroles de flammes
Surent courber les fronts audacieux

Par un prodige unique dans l'histoire
On vit alors un monarque tremblant
Reconquérir sa couronne et sa gloire
Par le moyen d'un faible bras d'enfant !

À l'époque moderne, deux grands poètes ont aimé Jeanne. Paul Claudel (1868-1955) a écrit un oratorio intitulé *Jeanne d'Arc au bûcher*, avec le compositeur Arthur Honegger :
Cette grande flamme / cette grande flamme / horrible / c'est cela / qui va être mon vêtement de noces ?

Charles Péguy (né à Orléans en 1873, mort au combat en 1914) a consacré une grande partie de son œuvre à Jeanne :

Adieu, Meuse endormeuse et douce à mon enfance,
Qui demeures aux prés, où tu coules tout bas.
Meuse, adieu : j'ai déjà commencé ma partance
En des pays nouveaux où tu ne coules pas.
[...]
Tu couleras toujours dans l'heureuse vallée ;
Où tu coulais hier, tu couleras demain.
Tu ne sauras jamais la bergère en allée,
Qui s'amusait, enfant, à creuser de sa main
Des canaux dans la terre, – à jamais écroulés.

La bergère s'en va, délaissant les moutons,
Et la fileuse va, délaissant les fuseaux.
Voici que je m'en vais loin de tes bonnes eaux,
Voici que je m'en vais bien loin de nos maisons.

O Meuse inaltérable, ô Meuse que j'aimais,
Quand reviendrai-je ici filer encor la laine ?
Quand verrai-je tes flots qui passent par chez nous ?
Quand nous reverrons-nous ? et nous reverrons-nous ?
Meuse que j'aime encore, ô ma Meuse que j'aime.

[...]
Sur le bûcher de bois sera ma mort humaine,
Et mon corps brûlera, que j'avais gardé sauf,
La flamme embrasera mon corps pour la douleur ;

La foule sera là par la place, anxieuse,
Entassée à mieux voir s'embraser ma chair vive,
Elle regardera ma chair s'embraser vive ;

Les prêtres et la foule, entassés par la place,
La foule se haussant, moqueuse et qui frissonne,
Et les clercs chanteront les cantiques des morts ;

Les cloches sonneront pour moi le glas des morts.

Alors la flamme embrasera ma chair vivante,
La flamme me mordra pour ma douleur humaine,
Me mangera ma chair pour la douleur humaine :
[...]

En la suprême, alors, des partances humaines.

Jean-Jacques Greif
Enfant, Jean-Jacques Greif habitait bd Saint-Marcel, à Paris. Quand il traversait le boulevard pour aller au cinéma Jeanne d'Arc, il admirait la statue de Jeanne d'Arc, au coin de la rue Jeanne d'Arc. Il avait hâte de grandir pour pouvoir s'acheter une armure et une épée. Il a grandi. Il n'est pas devenu chevalier, mais rédacteur publicitaire, puis journaliste. Depuis 1996, il écrit des livres pour les adolescents. Fasciné par les personnages mythiques, il a publié des biographies de Beethoven, Marilyn Monroe et Einstein (éd. l'école des loisirs). Il rêve d'écrire un roman dans lequel une Jeanne d'Arc qui n'aurait pas brûlé rencontrerait un Christophe Colomb n'ayant pas découvert l'Amérique.

Michel Coudeyre
Il est rentré chez vous il y a plus de vingt ans et, depuis, il ne vous a plus quitté. Il est dans les magazines que vous feuilletez sur votre canapé, il se signale à votre attention sur votre télé maintes fois avant les infos. Et quand vous sortez, perché sur un mur, il vous interpelle par affiche interposée. Il vous guide dans vos choix de nourriture, d'habillement, de loisirs. Depuis plus de vingt ans, Michel Coudeyre fait partie du gotha publicitaire français. Cofondateur du Club des directeurs artistiques, il y a obtenu tellement de récompenses lors de ses expositions annuelles que les membres du club ont fini par le garder à domicile comme Secrétaire général. Il partage ses activités entre la direction artistique et l'illustration. Avec le même bonheur.

Dépôt légal : septembre 1999
ISBN : 2-7404-0907-9

BIBLIOGRAPHIE

Régine Pernoud, une historienne toquée de Jeanne d'Arc, lui a consacré tellement de livres qu'elle a découragé ses concurrents. Si elle n'était pas morte en 1998, c'est elle qui aurait écrit ce livre-ci !
On trouve des *Jeanne d'Arc* de **Régine Pernoud** chez les éditeurs suivants : Seuil (2), Fayard, Gallimard/Folio et Découvertes, Perrin, PUF/Que Sais-je, Desclée de Brouwer, Rocher, MediasPaul, Mame, Livre de Poche, Marabout.
Et aussi :
Jeanne d'Arc, de **Michelet** (Gallimard), le livre de la redécouverte de Jeanne au XIXe siècle.
Jeanne d'Arc, de **Charles Péguy** (Gallimard), un long poème lyrique.
Thérèse de Lisieux, de **Pierre Descouvemont** et **Helmuth Nils Loose** (Cerf), une grande admiratrice de Jeanne.
Sainte Jeanne, de **George Bernard Shaw** (L'Arche), une très bonne pièce de théâtre.
Jeanne dite Jeanne d'Arc, de **Henri Guillemin** (Gallimard), une biographie contestataire.
Les procès de Jeanne d'Arc, de **Andrée et Georges Duby** (Gallimard), une sélection des textes de l'époque.
Jeanne d'Arc et la guerre de cent ans, de **Georges Bordonove** (Pygmalion), Jeanne vue par un spécialiste des rois de France.
L'auteur de cet ouvrage veut-il suivre les traces de Régine Pernoud ? Il a écrit un autre livre sur Jeanne, dans lequel elle raconte sa vie à la première personne : *Jeanne Darc*, de **Jean-Jacques Greif** (l'école des loisirs/Medium).

ILLUSTRATIONS

Jean-Louis Besson : p. 10-11
Stéphane Blanquet : p. 51
Philippe Caron : p. 20-21
Michel Coudeyre : p. 6-7, 8-9, 17, 24-25, 31, 46-47, 48, 62-63
Jacques Dubout : p. 23
Mïrka Lugozi : p. 36
Helio Macieira : p. 54-55
Jacques Parnel : p. 13
Philippe Poncet de la Grave : p. 4-5, 18-19

PHOTOGRAPHIES

Michel Coudeyre : p. 14-15, 39
Blaise Arnold : p.32, 35, 38, 42-43, 52-53, 60-61

CRÉDITS PHOTOGRAPHIQUES

© AKG : couverture, p. 1
© Bulloz : p. 32, 33, 49, 58 (Tapisserie du XVe s.)
© Bibliothèque Nationale - Paris : p. 34-35
© Collection Cats : p. 58 (*Jeanne d'Arc*, Victor Flemming, 1948)
© J.-L. Charmet : p. 26, 44-45, 58 (*Jeanne héroïne révolutionnaire*, 1792 – *Jeanne en prière*, Rubens, vers 1620 – *Jeanne* par Boilly, 1830)
© Collection Christophe L. : p. 58 (*Jeanne d'Arc*, Cecil B. de Mile, 1916 – *La passion de Jeanne d'Arc*, Carl Dreyer, 1928)
© Michel Coudeyre : p. 58 (*Jeanne*, par Louis-Maurice Boutet de Monvel)
© Giraudon : p.58 (*Vision*, A. Osbert, 1892)
© Photo Josse : p.28, 56-57, 58 (*Jeanne sur le bûcher*, Martial d'Auvergne, 1484 – *Portrait de Jeanne en costume de guerre*, Anonyme XVIIe s.
– Miniature sur parchemin, XVe s.)
© Cécile Martin : p.58-59 – *Portrait de Thérèse de Lisieux*, 1895
© Photo RMN : p.30-31 (cliché G. Blot), 41, 52-53 (cliché H. Lewandowski), 58 (*Vie des femmes célèbres*, Antoine du Four, 1505)
© Roger-Viollet : p. 27 (© Nd-viollet), 50 (© Cap-viollet), 58 (Suzanne Molitor, 1929 - © Collection Viollet)
© Istvan Varga : p. 22
© Galerie Maurice Garnier : p. 58 (*Jeanne d'Arc, ses voix*, Bernard Buffet, 1957)

REMERCIEMENTS

Istvan Varga, iconographe
Charlotte Terrasse, styliste, p. 32, 38, 42-43
Capucine Rouzier, mannequin, p. 14
Julie Toussaint, mannequin, p. 38
Edmond Leconte et Michel Coudeyre, collectionneurs, p. 60-61
Participation au texte : Chloé Chauveau et Marina Petrossian

Studio : Mango
Photogravure : SNO
Impression : PPO

1. Saintes chrétiennes - France - Bio.
2. Guerre de Cent Ans, 1339-1453
3. France - Histoire, 1422-1461 (Charles VII)
4. Jeanne, d'Arc, sainte, 1412-1431

LOUIS XIV
FRANÇOIS 1ER
NAPOLÉON 1ER
MICHEL ANGE
DE GAULLE
LUCY
MARCO POLO
RICHARD CŒUR DE LION
GANDHI
CATHERINE II
CHURCHILL
BOUDDHA